[英] 罗兰 · 布鲁克　著
李娟　译

马背上的女孩 ❸

赫特兰德马场的重生

天津教育出版社
TIANJIN EDUCATION PRESS

图书在版编目（CIP）数据

赫特兰德马场的重生 /（英）布鲁克著；李娟译. —天津：天津教育出版社，2012. 4
（马背上的女孩）
ISBN 978-7-5309-6711-9

Ⅰ. ①赫… Ⅱ. ①布… ②李… Ⅲ. ①长篇小说—英国—现代 Ⅳ. ①I561. 45

中国版本图书馆CIP数据核字（2012）第049943号

赫特兰德马场的重生

出 版 人	胡振泰
作　　者	［英］罗兰・布鲁克
译　　者	李　娟
监　　制	李　娟 陈禺舟 苗　洪
责任编辑	强　华
特约编辑	李　娟
版式设计	蒿薇薇
出版发行	天津教育出版社 天津市和平区西康路35号　邮政编码　300051 http：//www. tjeph. com. cn
经　　销	全国新华书店
印　　刷	北京温林源印刷有限公司
版　　次	2012年4月第1版
印　　次	2012年4月第1次印刷
规　　格	32开（750×1120毫米）
字　　数	100千字
印　　张	6. 5
书　　号	ISBN 978-7-5309-6711-9
定　　价	19. 80元

特别感谢琳达·查普曼！

感谢满迪·罗伯茨，他是第一个写“联合”技术的人，正是他的作品，才让这个世界变得更适合马生存！

感谢皮帕·勒凯纳——是他将赫特兰德马场变成了一个非常特殊的地方，谨此向你致以深深的谢意和爱意！

人物介绍

艾米·弗莱明	本书的主人公，一个十五岁的少女。
卢·弗莱明	艾米的姐姐。
玛丽恩·弗莱明	艾米和卢的妈妈，赫特兰德马场的主人。
杰克·巴特利特	艾米和卢的外公。
泰·鲍德温	赫特兰德马场十七岁的小伙计。
玛尔尼·戈登	卢的朋友。
丽莎·斯蒂尔曼	大型阿拉伯种马场菲尔德的主人。
本·斯蒂尔曼	丽莎·斯蒂尔曼的侄子，后来成为赫特兰德马场的伙计。
苏拉娅·马丁	艾米关系最好的闺蜜。
马特·特里温	艾米的男同学。
斯科特·特里温	当地的一名兽医，马特的哥哥。
卡尔·安德森	卢在纽约的男朋友。
尼克·哈利维尔	著名的骑马越障明星选手。
艾什莉·格兰特	艾米的同学，一个有天赋的骑手。
泰德·格兰特	艾什莉·格兰特的爸爸，绿石南马场的主人。
瓦尔·格兰特	艾什莉·格兰特的妈妈，绿石南马场的主人。

马匹介绍

珀加索斯　艾米爸爸以前的参赛马。

诺言　帕洛米诺马，属于丽莎·斯蒂尔曼，具有优良的血统和温和的性情，十分珍贵。

茉莉　一匹俊俏的黑马驹，性格极好，人见人爱。

萨加富　设得兰群岛小马驹。

燕子　一匹阉割过的枣红色公马。

查理　赫特兰德马场的代养马。

耳语　赫特兰德马场的代养马。

前情提要

《斯巴达的幸福》是《马背上的女孩》的第二本，承接第一本《再见了，妈妈》的故事，从艾米的梦魇开始——

那次暴风雨中的车祸，不仅让艾米失去了妈妈，更带给她无尽的自责与哀伤。基于此，整部小说里弥漫着令人动容的伤感气息，抑制不住的悲伤汹涌而来。生命中最爱的人走了，该如何抚平伤痛？然而一切仍在继续，赫特兰德马场依然要照顾被送来的马匹，其中包括目睹整场车祸的，那匹名叫斯巴达的马。也正是因为那场车祸，斯巴达对艾米有着莫名的恐惧与憎恨……终于，在又一场暴风雨中，艾米经历了刻骨铭心的一刻，她治好了斯巴达，并从自责中解脱出来。而当艾米骑着斯巴达，在他们出事的那条林荫隧道中跨越障碍、战胜内心恐惧的时候，他们终于战胜了可怕的回忆，不再被沉重的愧疚与恐惧束缚。至此，故事终于恢复了一贯的温情，爱终将战胜一切。

第一章

“妈妈不会回来了，珀加索斯，”艾米对这匹老灰马轻声地说，“她永远不会回来了。”

艾米知道这些话对它来说没有任何意义，但她觉得不得不试着向它解释。

那起不幸事故发生后的几周里，珀加索斯一直在寻找玛丽恩·弗莱明的身影，满心期待地站在自己的马厩门前，凝视着车道，一望就是几个小时，直到夜幕降临。

在过去的几天里，艾米注意到母亲的爱马珀加索斯有点儿不对劲，无精打采，不爱出声。它不再从半截门上往外张望，而是喜欢站在马厩后面，低着头，双眼呆滞，就好像它已经失去了任何希望，放弃了寻找妈妈。艾米受不了它这副样子。她弯下腰，把脸凑到它的脸上。

珀加索斯静静地喷着鼻息，把那颗大脑袋枕靠在她的胸前。艾米闭上了双眼。尽管悲伤笼罩着它，但它巨大的身躯还是充满了整个马厩，让艾米像往常一样感到既安全又清静。它的身影曾活跃在世界各地的体育场，让它和她的父亲成为有史以来最负盛名的障碍赛搭档。

但那是很久之前的事了：那时的艾米还住在英格兰，父亲还和她们一起生活；那时候还没有赫特兰德马场这个地方。艾米轻轻摇了摇头。现在，那是另一个人的生活了。

她正在胡思乱想，突然隐约传来开门的声音。她在珀加索斯暗灰色的鼻子上亲了亲，便走到马厩的半截门前。她看到金发碧眼、婀娜多姿的姐姐卢，正从风吹日晒的农舍里走出来。外公提着一个箱子跟在她的身后。

3

艾米打开了马厩门。“您要走了吗，外公？”她喊道。

杰克·巴特利特在车边停下来，点了点头。“是的，宝贝儿。只有现在出发，才有可能在白天赶到那里。”

艾米匆匆赶到车边。“向格伦和西尔维亚转达我的问候。”她紧紧搂住外公的脖子，贪婪地吸着他身上旧皮衣和香皂的熟悉气味。

“到了千万别忘了给我们打电话。”卢说着在外公的脸上啄了一下。

杰克·巴特利特的视线在姐妹二人的身上来回巡视，他那张饱经风霜的脸担忧地皱了起来。“你们俩确定能搞定？最近发生了许多事，我不确定这个时候该不该离开。”

“我们能行。”卢说着，碧蓝的眼睛望向艾米，“是不是？”

“当然了，”艾米回答道，“您不能不去，外公。您知道格伦和西尔维亚有多想见到您。”

杰克·巴特利特没有否认。他每年秋天都会去和他的弟弟格伦和弟媳西尔维亚住几周。艾米小时候每年也会去他们在田纳西的农场。

外公看起来还是放心不下。“你们确定我走后能应付得了额外的工作量？”他问道，“我们目前已经忙得团团转了。”

“我们已经讨论过这点，外公。”卢实事求是地说，“您知道我的朋友玛尔尼下周会来。她能帮得上忙，泰也主动提出额外多做几个小时。”

“我们能付得起工钱吗？”杰克·巴特利特问。艾米看到外公在考虑支付泰的额外工资时，眼角的皱纹更深了，泰是赫特兰德马场的马厩伙计。

“我们会想出办法的，”卢说，趁他想再次开口前坚定地打断了他。“听我说，您只管去。”她迅速地拥抱了他，并帮他打开车门。

“谁看见了都会以为你迫不及待地想要赶我走呢。”外公开玩笑地说，并把手提箱扔进汽车的后备箱里，上了车。

“会顺利的，”艾米咧嘴一笑，“我们计划等您走后举行狂欢派对，是不是这样，卢？”

外公也冲她咧嘴笑。“听起来很有趣的样子。也许我真该留下来。”他看到卢的表情。“好吧，好吧。我走我走！”

他发动了引擎，艾米和卢往后退，车沿着蜿蜒的车道开走时，他不停地挥手。

“好吧，”卢看着小汽车消失在一团灰尘中，对艾米说，“我想现在只剩下你和我了。”

从房子里传来电话铃声。卢的眼睛亮了，“也许是新顾客！我去接。”她说着匆匆往屋子里走去。

艾米环视着院子。左边是前排六间马厩。白色油漆从门上纷纷脱落，门框上的木头许多年来已经饱受各种寄居动物的啃噬。一捆捆干草和麦秸卡在水槽里，散落在马厩门外。艾米叹了口气，院子需要打扫，后排马厩更是凌乱不堪。

6

她的视线越过车道朝原野望去。各种颜色、大小不一的马儿在九月的阳光下平静地吃草。看到这一幕艾米特别高兴。她知道如果不是赫特兰德马场，它们中的大部分早就被处死了。看见它们全都这么健康和满足，她感到艰苦工作和加班加点都是值得的。

在赫特兰德马场现有的十六匹马中，有十二匹是从虐待和忽视中被拯救出来的，它们的心灵创伤已经愈合，能够给它们重新安家了。还有三匹是代养马，它们被送到赫特兰德马场，治疗它们的行为问题。

然后就是珀加索斯。在发生障碍赛比赛事故前，它一直是爸爸的坐骑，那次事故致使艾米的父亲抛弃了妻子和家庭。从此以后，珀加索斯就将自己的心交给了艾米的母亲。艾米的眼神落在最后一间马厩空荡荡的门口。可怜的珀加索斯！没有了妈妈，它显得那么失落。

后门开了，卢走了出来。

“是要代养马的顾客吗？”艾米问道，但她从姐姐的脸色看出了答案。

7

“不，是有人打错了，”卢叹了口气，她的眼睛扫过院子。“我们得尽快把那三间马厩填满，你知道的，艾米，代养马是我们稳定的收入来源。”

艾米点了点头。将马送到赫特兰德马场来的顾客支付的费用，可以用来开展营救工作。

“我只是不明白为什么咨询电话突然断了，”卢皱着眉头继续说道，“在尼克·哈利维尔帮我们推荐后，我们接到过不少电话。但现在一个都没有。”

“我会给他打电话问问他知不知道有谁的马需要帮助。”艾米建议道。尼克·哈利维尔是位著名的障碍赛选手。两个月前，艾米治愈了他的一匹有拖车恐惧症的小马驹，那匹马颇具天分，自此以后，他就一直向他认识的人推荐赫特兰德马场。

“这值得一试。”卢说。

但当艾米打通尼克·哈利维尔的养马场的电话时，才知道他出国参赛去了。“还要三个星期才会回来。”他的私人助理说。

8

艾米叹了口气，放下了电话。“运气真背。”她说着转身面对正坐在餐桌边的卢。

“这太奇怪了，”卢紧锁眉头，“我们整整一周都没有接到一个咨询电话。”

这是有点儿奇怪，艾米暗自承认。整整一周没有电话是很少见的。一阵不安从她的心头掠过。她努力安慰自己，“情况会好起来的。”她说，尽量让声音听起来乐观点儿。

“希望如此，”卢回答道，“如果生意不尽快好起来，我们就会有麻烦了。”她叹了口气站起身来。“好吧，我想我们应该去整理妈妈的房间了。”

一口气卡在了艾米的喉咙里。妈妈的房间。这几个字在她的头脑中回响。自从妈妈死去的那天晚上，她的卧室就一直原封未动，但现在卢的朋友玛尔尼·戈登要过来住几个星期，她们需要腾出地方。卢决定是时候收拾下了。

“不会花太长时间的，”艾米跟着她上楼时，卢说，“我想我们可以将东西分成两堆：该留下的和该丢掉的。”她打开卧室门，走了进去。

艾米停在门口一动不动。自从妈妈死后，她一直避开这个房间，此刻，熟悉的东西再次呈现在眼前，妈妈淡淡的香水味萦绕在鼻端，她的心里突然五味杂陈。她努力控制自己。事故从发生到现在已经过去了三个月，撕心裂肺的痛已经消退，但哪怕是最细小的东西，依然会不时勾起她如潮水般痛失的回忆。

“好吧，”卢说，走到她早先拿进来的一堆纸板箱前，“我们把要保存的东西放进这个箱子里，把要扔掉的放到那边。”她绕着房间走，清了清喉咙，“我想我们应该先从衣柜开始。”

感觉像在梦中，艾米走进房间。墙上马的照片、椅背后的马厩外套、梳子的毛刷中还卡着几缕头发……好像妈妈还活着，好像她随时都会走进这个房间。

卢打开橡木衣柜，看到衣柜里挂着的一排熟悉的衣服，呆了半晌。她伸出手，抚摸着一件短裙，艾米看到她吞了吞口水。但当她再次开口时，声音很平稳。“好吧，我们先整理这里怎么样？”她再次迟疑了，拿出一件衬衫。“凡是好的都可以送到慈善商店去，剩下的我们就处理掉。”

“我们不能扔掉妈妈的衣服。”艾米飞快地说。她看到了姐姐的眼神。

卢皱起了眉头说：“我们得腾出地方给玛尔尼放东西。”

艾米不能忍受现在就扔掉妈妈的衣服。“我们不能把衣服放到其他地方吗？”她走到衣柜边，拿出一条绿色的马裤，胃部缩紧了一下。她记得妈妈去世的前几天还穿过。

卢让步了。“好吧，”她说着叹了口气，“我相信地下室肯定有空余地方。”

整理衣服没有花多少时间。艾米拿下架子上的马裤、衬衣和无袖套衫折好，而卢则从横杆上取下妈妈的几套精装外套，迅速打包，有条不紊地放进箱子里。当她去拿最后一件时却停住了。

“妈妈的夹克。”她看着那件深红色里衬的海军夹克低声说道。

艾米看到卢的眼睛里突然充满感情，心蓦地收紧了。十二年前，那场事故造成珀加索斯和爸爸重伤后，妈妈就放弃了马术障碍赛职业生涯。当时艾米只有三岁，什么都不记得了。她是从和妈妈到维吉尼亚投奔外公后，才开始记事的。但她知道，事故发生时，年满十一岁的姐姐，对她们在英格兰的生活有更多回忆，这件夹克显然勾起了她如潮水般的回忆。

卢飞快地眨眼，轻轻折起夹克，放在其他衣服上。她开始清理衣柜底部，鞋盒，零零碎碎的化妆品和一罐罐的润肤霜。“看这一大堆乱七八糟的。”她说，声音有些紧绷。

艾米默默地拿出杂乱的鞋子，又发现了一个盒子。

“照片！”艾米说，她看到了两本蓝金色相间的相册和装着散装照片的信封。艾米翻开了第一本。

“卢，是你！”毫无疑问，每一张照片中好奇张望的婴儿正是蹒跚学步的卢，心形的脸上，一双矢车菊蓝色的眼睛瞪得圆圆的，略显惊讶。

卢从她的肩膀往下望。“是的。”

“爸爸和妈妈。”照片上，她们的父母看上去十分年轻。爸爸身材高大，留着一头乌黑的卷发；妈妈正抬头冲着他微笑，她个子小巧，身材苗条，像卢一样金发碧眼。

艾米翻看着相册。里面有她们的父母在英格兰养马的院子的照片，马儿们从一个方方正正的漂亮庭院往外张望，庭院里有乌木马厩。有爸爸和妈妈的参赛照片，妈妈漂亮的枣红色母马黛利拉和爸爸骑着珀加索斯的照片，甚至还有卢五岁时，骑着一匹小花斑色的小马驹参加障碍赛的照片。

“那是明妮，”卢说，微笑着蹲在艾米身边，“我三岁的时候，爸爸买来送给我的。你大一点的时候，你总想骑它，于是爸爸就给我们买了‘金块’。”她打开了第二本相册。“嘿，瞧！这是你刚出生时的照片。”

艾米看了看自己的婴儿照，翻看相册，直到找到一张

自己两岁时的照片—— 一个瘦瘦的蹒跚学步的婴儿，浅棕色的头发，灰色的眼睛，总是靠在马边或骑在马上。她看起来和卢很不一样，更酷似父亲。

卢指着一张全家福，照片上一家人坐在沙滩上的一个巨大的沙堡边，全都笑意盈盈。“那是我们去西班牙时照的。你才三岁，我十一岁。”

艾米翻着相册，急切地想看更多，但照片突然没有了。相册的其他部分都是空的。她望着姐姐。

“爸爸的事故。”卢静静地说。

艾米拿出信封，照片从信封里掉出来，落到地板上。是艾米和妈妈、外公在赫特兰德马场的照片。艾米大约四岁的样子，妈妈的样子也变了，她面容严肃，眼神宁静。

“那是我。”卢说着拿出一张照片。照片上的她站在英格兰寄宿学校的入口处，穿着一套时髦的校服，手里拎着书包，神情严肃。

艾米瞟了姐姐一眼，“你为什么不跟我们一起回来，卢？”妈妈曾试着向她解释过，但她一直想不通为什么卢会要求留在英格兰的寄宿学校。

“我以为爸爸会回来。”卢说。

“但妈妈等了好几个月，”艾米想起妈妈的话，回答道，“她说爸爸走后，她一直在等，但他始终没有回来。”她皱起眉头，“他抛弃了我们，卢。”

卢双眼灼灼。“他在努力接受不能再骑马参赛的事实，”她尖锐地说，“他会回家和我们团聚的，但妈妈却等不及，离开了英国。”

“她当然要离开！”艾米喊道，她们刚到维吉尼亚那几个月的时光在她的心头闪过，妈妈心神不宁，魂不守舍。“她没法在英格兰待下去，因为那里有太多爸爸的回忆。”

“如果她留在了英格兰，如果爸爸真的回来了，她在那里，就有可能破镜重圆！”卢说。

但他从来没有回来！

艾米把到嘴边的话又咽了下去。她明白，她只知道妈妈这一方的故事，却从来不知道这件事还有另外一面，也不明白卢为什么至今还相信爸爸。经过几个月的焦急等待后，除了在事故中严重受伤的珀加索斯，玛丽恩卖掉了其他所有的马匹，搬回到了她在维吉尼亚的娘家。在这里，她专心照顾珀加索斯，帮它康复，并开创了这座马的庇护所——赫特兰德马场。在治疗无家可归的马儿时，她的情感创伤也在慢慢愈合。

“我当时没法回到这里生活，”卢说，“妈妈想让我帮忙，和她一起经营这个地方，但在爸爸出事后，一靠近马，我就受不了。”

艾米想起在自己成长的岁月中，几乎很难见到姐姐，想起卢难得回来，又和妈妈吵架，不想和妈妈的工作扯上任何关系。

现在不同了。自从妈妈死后，卢重新发现了自己对马的热爱。艾米抚摸着卢身着黑色长袍的照片，那是她在英格兰牛津大学的毕业照。站在她旁边的是妈妈和艾米。

卢从她的肩膀上方望过去，笑道：“我简直不敢相信你和妈妈会不远千里赶去参加我的毕业典礼。”

“当年你考进牛津大学时，妈妈真的为你感到自豪，”艾米说，“你打电话来说你毕业答辩做得有多出色时，她说我们必须去参加你的毕业典礼。对她来说，赫特兰德马场都没有这件事重要。”

卢看起来很吃惊，“她真这么说过？”

艾米点了点头。

“她从来没有跟我说过。”卢柔声说。

艾米拍了拍她的胳膊。“妈妈想你，卢。你在纽约找到工作时，她很开心。”

卢咬紧了双唇。“但我还不是老不回家，不是吗？噢，艾米，要是没有发生这些事情该有多好……”她的声音越来越小。她似乎突然振作起来。“现在想这些毫无意义，”她轻快地说，“人不能生活在懊悔中。人要向前走。”她又开始把东西往箱子里装。“来吧，我们赶紧收拾完。”

艾米把照片放回信封里，把信封和相册小心翼翼地放回盒子，拿到窗边。妈妈的窗子和她卧室的窗子一样可以眺望院子。珀加索斯还待在马厩后面，看不见它。

“我有点担心珀加索斯。”艾米说，转身去帮正在清理梳妆台抽屉的卢。

“你说起过，它最近有点儿不对劲？”卢说。

艾米点了点头。“你知道吗？自从妈妈去世后，它就总是从马厩门上往外望着找妈妈。”

“就像在等妈妈回家？”卢问。

“嗯，”艾米回答道，“好吧，它现在已经放弃了。过去几天，它一直站在马厩后面，看起来无精打采。”

“我相信它会没事的。”卢说着盖上了箱盖。

艾米朝窗外望去，希望自己也能这么确定。“妈妈对它来说就是一切。它肯定很困惑。妈妈突然就走了，它不明白这是为什么。我敢肯定它就是因为这样才无精打采的。”

“你能喂它吃点什么，帮它打起精神吗？”卢问。

艾米想了想妈妈教她使用的草药和其他自然疗法。她知道治疗伤心失落有几种不同的方法。“我会试一试，”

她回答道，“我会看看能做点什么。”

卢冲她鼓励地一笑，打开了另一个抽屉。“我相信它会振作起来。”

她们默不作声地忙活了几分钟。“我想我们得把这些扔了，”卢说着打开了最后一个抽屉，拿出一叠信和卡片。她飞快地翻看。“是些旧生日贺卡和……”她突然停住了。她从那一沓中拿出了一个信封。

“那是什么？”艾米问道，她看到卢的眼睛睁大了。

卢没有立即回答。艾米从卢的肩膀上望过去。收信人是赫特兰德马场的玛丽恩。“是什么？”艾米又问了一次，不确定卢为什么那么奇怪地看着信。

“是五年前的来信。”卢看着邮戳说。

“那又怎么样？”艾米问。

卢抬起头看着她，脸色苍白。

“是爸爸写来的。”

第二章

“不可能！”艾米喊道，盯着卢手中的信封。“自从他离开后就一直杳无音讯。”

“这是他的笔迹。”卢说。她打开信封，颤抖着手指拿出一封用普通白纸写的信。“他从英格兰寄过来的。英格兰！”卢艰难地吞咽着，“他一直住在那里——我就知道！”

“信上写了什么？”艾米在一旁问道，卢展开信，快速浏览信的内容。

卢沉默了片刻。“那时候我还在那里，”卢小声说，她的手垂到了膝盖上，“他为什么不联系我？”

“信上到底是怎么说的？”艾米重复道。她不耐烦地从卢的手上抢过信。

“亲爱的玛丽恩，”她大声念道，越念声音变得越小：

请给我回信，哪怕是一张便条，一张卡片也好——只要不是保持沉默。我知道自己做了一件非常可怕的错事，漫长的七年来，我没有哪一天不在恨自己。但我求求你，求求你从心底原谅我。我们可以重新开始——想想我们在一起合作有多愉快。我们在一起曾经有多甜蜜，不是吗？我们肯定能回到从前。这将是我给你写的最后一封信。请告诉我们的女儿们，我爱她们，想念她们。我只想一家人再次团聚。

我对你的爱从未停息。

蒂姆

信从艾米的手中滑到了地板上。她看着卢捡起来看，一时间千头万绪。妈妈骗了她。妈妈告诉她说爸爸从来没有跟她们联系过。但这里分明有他的一封来信，他恳求她的原谅，请求破镜重圆。

她看着卢。卢面如死灰。“他为什么不和我联系？”她喃喃道，“我一直在等他。我一直在那里！”

艾米无助地耸了耸肩。她不能相信。爸爸曾苦口婆心地希望妈妈再给他一次机会。那妈妈是怎么回答的？她回过信吗？她的手拂过头发，感觉自己的生活以及所有的一切都在慢慢流走，就像脚下的流沙。曾经知道的一切突然变得不再确定。妈妈还有多少事情瞒着她？读过这封信后她又该对爸爸作何感想？

“我想留着这封信，你不介意吧？”卢的声音打断了艾米的思绪。她正在折信，下巴缩紧成坚定的弧度。

艾米摇了摇头，几乎说不出话来。“不……我不需要它。”她看着自己的姐姐，卢的眼神深不可测。“她从来没有告诉过我。”她对卢说。

“她从来没有告诉过我们。”卢说。她折起信封，放进衬衣的口袋里，转身面对箱子，声音又变得轻快平静起来。“好吧，我们把这些东西拿到楼下去。”

她们清理完妈妈的卧室后，卢留下来除尘，艾米走到外面去照看马儿。今天泰休息，还有一大堆事情等着她做。后排的五间马厩需要打扫，所有的水桶和干草兜都需要重新装满，还要把马从田野里牵回来。艾米四处忙碌，利用杂事当借口，逼自己不去想信的事。就算不去想信的内容，仅仅知道五年前，她的爸爸曾坐下来给妈妈写过信，就足够令人不安了。

她忙着梳洗和照看三匹代养马——燕子、查理和耳语。她在训练场溜了查理和耳语后，开始专心训练燕子。这是一匹阉割过的枣红色公马，到赫特兰德马场来是为了治愈它对车辆的恐惧。这周，它在训练场表现不错，艾米计划带它去马路上试一试。但各种状况接踵而来，看样子它得再等等了。她瞟了一眼手表。没时间了，她可以明天再试。也许等她放学回家后，就可以和泰一起骑马出去兜兜风。

当艾米牵着燕子走到训练场时，想起泰很少放假，真是很想念他。他十五岁起就开始在赫特兰德马场做兼职，一年后辍学来帮玛丽恩全职驯马。事故发生后那几个月，他更是尽心尽力。事实上，如果没有他，艾米不知道她们怎么能应付得了。他不知疲倦地工作，对治疗问题马的自然疗法和工作经验丝毫不比她逊色。

到了喂食时间，卢出来帮她。

“看看院子乱成了什么样！”她们装满最后一桶水时，卢说。

艾米环顾四周。院子比平时凌乱很多——地上到处是散落的干草和麦秸，饲料桶杂乱地堆放在马厩门外。

“别担心，”艾米说，“我们明天整理。”

“明天你要上学。”卢提醒她。

“我走之前会整理好的。”艾米回答道。就她而言，乱点儿没关系，重要的是驯马，让它们吃饱喝足。她抖落牛仔服上的灰尘。“我想我得花点儿时间陪陪珀加索斯。”她说。

卢看着她，“你完成家庭作业了吗？”

“差不多了，”艾米看到卢的脸色，“还剩下一点点。”

“真的？”卢怀疑地说。

“当然了。”艾米飞快地撒了个谎。

她朝放置药柜的马具室走去。家庭作业得先放放，找出能帮助珀加索斯的药更重要。她挑出三种能减轻抑郁的香精，朝珀加索斯的马厩走去，发现食槽里的饲料几乎没动。

艾米放下未开启的香精瓶，轻轻按摩马儿的脑袋，用手指在它的头上轻轻打着小圈。这种治疗方法叫“T字形抚摸法”，是玛丽恩教给她的。她的手指朝它的耳朵上方揉，然后往下拂过它的脸，感觉一下哪里更需要按摩。慢慢地，她感到珀加索斯放松下来了。

艾米亲了亲它，停止按摩，拧开第一个瓶盖，让它闻香精的气味。艾米仔细观察珀加索斯的反应。

珀加索斯耳朵向后贴，把头转开了。

她感到很吃惊。这是橙花油，对治疗伤心失落最有效。但玛丽恩总是说必须让马自己选择治疗药物，于是艾米接受了这匹灰马的选择，把第二个瓶子递给了它，这是蓍草香精。它再次转开头。艾米微微蹙眉，把第三个瓶子递了过去。珀加索斯嗅了嗅，张开了上唇，好像在笑，它用嘴在瓶子上试探着。

“不，还不能吃。”艾米说着立刻抓紧了瓶子。香精要稀释了才能喂食。她检查了一下商标——香柠檬油，对平衡和促进感情很有效，还能刺激免疫系统。但并不能帮助战胜悲伤，不过如果那是珀加索斯的选择，就用它吧。

她将三个瓶子重新拿回到马具室，拿了一个更大瓶的稀释过的精油，回到珀加索斯的马厩。在手上滴了几滴，她开始按摩它的鼻孔。“你要好起来，”她对珀加索斯说，“你不能像现在这样萎靡不振。”

看着珀加索斯老态龙钟的身体，原本的花斑皮毛现在变得雪白，肋骨有点突出。听着珀加索斯深深的叹息，艾

米真为它感到心痛。

珀加索斯陪着她长大。每当艾米痛苦不安时，她都会跟珀加索斯倾诉，珀加索斯总是认真倾听，好像能听懂似的。现在珀加索斯饱受折磨，艾米必须想办法帮它，就像珀加索斯出事后的那些年，妈妈一直做的那样。“我会让你好起来的，珀加索斯，”她小声说，“我保证。”

第二天早上，艾米坐在厨房的餐桌边，一边吃松饼，一边做数学和历史作业。她本来要在昨天晚上完成的，但她一坐到课桌前，眼皮就打架，结果倒在书本上睡着了。

“艾米！你不是说你做完作业了吗？”卢喊道，走进了厨房。

“只剩下一点儿了。”艾米小心地说。

卢看着写了一半的纸。“看样子是很大一部分！”她说，“校车十分钟就要到了。噢，艾米，你什么时候——”

她的话被走进厨房的泰打断了。“今天马有什么特别计划吗？”泰靠在门框上问道。他望着艾米，黑色的头发垂下，遮住了脸。

“我不知道，”艾米说，又潦草地写了几句。“燕子昨天很不错，它已经做好了准备去……”她刚想说独自上路，但突然停住了，“帮我一把！泰，你知道十九世纪药品革命的事吗？”

“对不起，”泰说，“这我可帮不了你。这么说，燕子已经好了？那查理和耳语呢？”

“艾米！你再不动身就赶不上校车了！”卢催促道。

艾米吞下最后一片松饼，把课本塞进书包。“你想怎么处理它们就怎么处理。”她飞快地对泰说，心思全在功课上。也许她能在校车上完成作业，马特和苏拉娅能帮她。

“好的。”艾米从泰的身边冲过去时，泰说。

艾米跑到车道尽头，刚好来得及拦下校车。看到苏拉娅坐在靠后边的座位上，她朝那里走去。“嗨！”她喘着粗气，瘫倒在她最好的朋友身边。“周末过得怎么样？”

“很好，”苏拉娅说，并挪了挪位置，给她让出更多空间，“你呢？”

“不太好，”艾米坦白说，“我还没有完成历史作业呢。”

苏拉娅摇了摇头。“哪天你真按时完成作业了，我反而会大吃一惊。”她在自己的书包里摸索，“给你，看看我的。”

“谢谢。”艾米感激地说，并立刻掏出自己的课本。

“周末出什么事了？”当艾米好不容易找到一支钢笔时，苏拉娅问道。

“噢，你知道的……就是一大堆事情。”艾米抬头看到苏拉娅棕色眼睛里流露出担忧。“珀加索斯不吃东西，”她叹息道，“我们有一个星期没接到代养马的咨询电话，外公去了田纳西，这意味着泰和我要做更多工作。昨天和卢在清理妈妈的房间时，发现爸爸五年前写给妈妈的一封信。”

“但你妈妈不是说自从他离开后就音信全无吗？”苏拉娅吃惊地喊道。

“我也这么想，”艾米回答道，“他在信中说想重新回到她的身边。”

“这太令人难以置信了，”苏拉娅惊呼道，“你是怎么想的？”她好奇地问道。

艾米希望自己能找到合适的词语来表达自己看过信后感到的困惑。“我也说不上来。”她最后说。她顿了顿，“我一直以为他无情地抛弃了我们，但那不是真的——而且——”

“看了信，你对他产生了不同的看法？”苏拉娅问。

艾米点了点头。“我是这么想的。对妈妈的看法也发生了变化。”她补充道，飞快地瞟了她的朋友一眼。

苏拉娅握住了她的手。她什么都没说——她不需要。艾米知道她懂自己。她突然不想再去琢磨信的事情了，开始埋头看历史作业。“这里的第二部分你懂吗？”她问道。

苏拉娅接受了话题的转变，“嗯，看这里。”

艾米读着苏拉娅的笔记，开始飞快地写答案。

“你还有没做完的吗？”苏拉娅问道。

“嗯，还有数学，”艾米回答道，“但我希望马特能帮我做完。”

“我肯定他会的，”苏拉娅说着对她咧嘴一笑，“你让马特做什么他都愿意，艾米。”

艾米假装无辜，“我不知道你这话是什么意思。”

“你当然不懂了，”苏拉娅嘲讽地摇了摇头说，“可怜的马特！学校里的其他女孩一逮着机会就想和他约会，但他却喜欢你这个榆木疙瘩。”

艾米咧嘴笑了笑，又低头做作业去了。

过了几站，马特·特里温上了校车。他高大的身子坐进了她们的前排座位，对她俩咧嘴笑了笑。“还在做作业啊，艾米？”他说，“真不多见。”

“你得帮帮我，马特，”艾米恳求道，她正在写最后一行历史作业，她抬起头来，“我还有些数学作业没做完。”

“好吧，”马特叹了口气，“在哪里？”

艾米把课本递给了他，他扫了一眼，“看起来还不算太糟糕。”他评论道。马特一直是优等生，他以后想当医生。而艾米的成绩单上更有可能写着C等，评语是：有能力，能比现在取得更好的成绩。她不在意学业——对她来说，学业相较于赫特兰德马场和马，永远排在第二。

当校车到达杰弗逊高中时，她做完了作业。“谢谢，马特，”艾米说，他们下车朝储物柜走去。

马特苦笑了一声，“我愿意随时为你效劳。”他说着离开艾米和苏拉娅，朝对面角落的储物柜走去。

“噢，不！”苏拉娅低声说，双眼突然锁定在艾米的左前方。“瞧，谁来了？”

艾米扭头一看，三个女孩正朝储物柜走来，全都化了漂亮的妆，梳着美丽的发型，穿着最新款的名牌服装。中间的那个女孩停了下来，看到艾米和苏拉娅，她精心修过的眉毛拱了起来，朝她们走过来，淡黄的金发在她的肩头跳跃，这让艾米想起了一个定型喷雾剂广告。

“嗯，你好，艾米！”女孩说道，并在她的身前停下了，头歪向一边。

“艾什莉。”艾米冷淡地跟她打招呼。

“赫特兰德马场……的生意怎么样？”她说话中间顿了顿，听起来像在说什么见不得人的事似的。

“还行，”艾米说着蔑视地抬起了头，“我们忙得不可开交呢。”

艾什莉的唇角弯起。“我听到的可不是这样。”艾什莉·格兰特家有一个高级代养马场，名叫绿石南。她的妈妈瓦尔专门训练参加障碍赛的驯养马和小马驹。她的方法和赫特兰德马场使用的方法有天壤之别。

艾米皱起眉头，“你这话什么意思？”

艾什莉扭头看她的两个朋友谢丽琳和婕德，她们走上前也加入了她。“我能告诉她吗？”这个问题不需要回答，她们彼此相视一笑。

艾米迈了一步，不想被她们蔑视。“告诉我什么？”

苏拉娅立刻走近她，一只手搭在了她的胳膊上。苏拉娅讨厌和人正面交锋，但艾米的怒火已被点燃了。“你们在说什么？艾什莉？”她质问道。

“噢，人们都在传：赫特兰德马场的日子屈指可数了。”艾什莉说。她的声音很轻盈，但她碧绿的眼睛一直没有离开艾米的脸。“你妈妈现在不在了，没有人懂怎么治疗马。”

“但那不是真的！”艾米愤怒地驳斥道。

“不是吗？”艾什莉讥笑地说，“好吧，艾米。赫特兰德马场只有你和你城里来的时髦姐姐，还有泰。你不会真相信人们会把他们珍贵的马儿送到赫特兰德马场吧？”她把头发向后一甩，“我可不这么认为。”

“他们会的！”艾米喊道。这时，马特走到了她身边，“他们还会来的，你知不知道自己在胡说什么，艾什莉。”

“噢，我当然知道，”艾什莉说，“谣言像野火一样蔓延。你最好接受现实，艾米。你应该把赫特兰德马场卖掉。我爸爸愿意从你的手上把它买下来的。”她唇角向上弯起，像猫一样笑了，“毕竟，我们的生意很好，我们的牲口棚从来没有这么满过。”她朝马特眨了眨眼，“再见，马特！”说完她就转身走开了。

艾米赶上前去。

“别再纠缠下去了，艾米。”马特一把拉住她的手臂，劝说道，“你知道艾什莉是什么样的人，她是为了气你才故意这么说的。”

“那她的目的达到了，”苏拉娅说，“别理她。”

但艾什莉的话让艾米变得紧张起来，她凝视着楼梯。要是人们因为妈妈不在了，而怀疑赫特兰德马场是否还有发展，因此远离赫特兰德马场，该怎么办呢？她们需要有新的马来向人们证明她和泰可以延续妈妈的事业。如果再没有人送代养马过来，赫特兰德马场该怎么办呢？

那天下午，艾米一回到赫特兰德马场，就立刻找到卢，把艾什莉·格兰特说的话告诉她。卢正坐在厨房餐桌旁，在一个信封上写地址。当艾米进来时，她吓了一跳，一脸歉疚的样子，飞快地将信封藏到一叠纸里。

“那是什么？”艾米好奇地问道。

卢迟疑了片刻，摇了摇头，“噢，一张账单而已，”她说着飞快站起来收拾桌上的纸张，“那……今天上学怎么样？”

艾米忘记了信的事，开始噼里啪啦、言辞激烈地重述艾什莉对她说的话。

卢专注地听着，“那么她说人们一直在有意避开赫特兰德马场？”

艾米点了点头，“如果这是真的，我们该怎么办？我们不能再让人们以为我们不会治疗马了。”

“嗯，”卢说着皱起了眉头，“好吧，我们得想点儿办法。”

厨房门开了，泰走了进来。“嗨！”他说，“有空帮个忙吗？”

“当然。”艾米跑到楼上换衣服，不到一分钟就穿上了工作装牛仔裤和T恤。泰在厨房里等她。“还有什么要做的？”她边问边穿靴子。

“挺多的。”

艾米注意到泰一贯平静的脸看起来很烦恼。“我还没来得及梳洗任何一匹马，还有三匹需要训练。我今天才意识到你外公在这里时做了多少活儿。”

“等玛尔尼到了就会轻松些，”卢说，“她星期六来，还迫不及待要打下手呢，她小的时候骑过马。”

泰点了点头，“现在少了一匹马也好些——尽管收入也相应减少了。”他望向卢补充道。

“少了一匹马？”艾米不知道他在说什么，吃惊地问。

“燕子走了，”卢说，“它的主人——洛希夫人今早打电话来了，问它准备好回家没有。她几个小时前刚把它接走了。”她肯定是看到了艾米脸上困惑的表情。“你自己说它可以走的，”她不确定地继续说，“今天早上泰问起它时，你说它已经做好了走的准备。”

“不，我不是这么说的！”艾米喊道，瞪着她。她突然想起她们今早说到一半的话。她飞快地捂住了嘴。“我的意思是说它做好了上路的准备，不是回家！”

卢瞪大了眼睛。“这么说它在路上还是不安全，对吗？”

“当然了！”艾米喊道，吓得跳站起来。“我根本没有带它到马路上骑过。你不该让它走的！”她看到卢脸上吃惊的表情，猛一转身，看着泰。“泰！”她喊道，“你怎么会让燕子离开?你肯定知道它还没有准备好。“

“但你亲口说它好了，”泰回答道，“我以为你周末训练过它。”

艾米又是沮丧，又是担心，急得跺起脚来，“我当时没有时间跟你多说！”

“听我说，”卢飞快地打断她，“我们现在就给洛希夫人打电话，把情况跟她解释下，”她跑到电话边，“快，帮忙找号码。”

艾米一把抓起客户电话簿，疯狂地翻看寻找。要是洛希夫人已经带它上路了可怎么办呢？它比之前有所好转，但远没有康复。任何事情都可能发生。

“找到了！”她喊道，抓起电话簿。

就在这时，她听到汽车轮胎在外面的砾石路上摩擦，然后戛然而止的声音。艾米猛转身朝厨房窗外望去。“噢，不！”她惊呼道。一个身材结实、满脸通红的女士从车上走下来。“是洛希夫人，她看起来气得不行！”

第三章

艾米、卢和泰匆匆赶到门口。“洛希夫人，”卢开口道，“我正要给您打电话。有个——”她还没有机会把话说完，洛希夫人就气冲冲地向她逼近。“我想和你谈谈，卢·弗莱明！”她双眼喷火，厉声说道。

“洛希夫人，”卢飞快地说，“请您给我一个解释的机会……”

但洛希夫人似乎没有心思听她解释。“我今天下午到这里来接我的马，以为它被治好了。我一到家就带它上路了，结果被甩下马，差点儿丧生车轮下。你也许认为这就算治好了一匹马，但显然我不这么认为！”

“洛希夫人，您误会了——”卢开口了，但再次被打断。

“我完全明白！”洛希夫人厉声道。艾米能看到她额头上的青筋暴起。“你们完全靠母亲的名誉谋生，根本没有经验来处理你们保证能治好的问题。”

“不是这样的！”艾米冲口而出，“这是个误会！我们不该让您接走燕子的，我们正要给您打电话。”

“艾米说得对，”卢说，“我们非常抱歉。如果您把燕子送回来，我们将免费给它继续治疗。”她试图对洛希夫人微笑，但这个女人显然气急了，对她的微笑无动于衷。

“送它回来？”她喊道，“门儿都没有！我要把它送到有人懂马的地方去。”她大踏步朝车走去。“你们好自为之吧。”她猛地拉开车门，扭头喊道，“我不会善罢甘休的，一旦我把话传出去，你们就别指望有人再把马送到这里了！”

“但是，洛希夫人……”卢喊道。

这个愤怒的女人猛倒车，发动了引擎，在砾石路上飞快转车，消失在车道上。

卢用手捂着脸。“这下可好了！”她呻吟道。

“我们该怎么办？”艾米喊道。

“还能怎么办？”卢抬头说，“只能接受现实。我会给她写封道歉信，不过，我不觉得她会改变主意。真不敢相信，这时候会发生这种事，真是雪上加霜。”

看到姐姐的肩膀耷拉下来，艾米强压下心头之火。“别担心，卢，”她飞快地说，“一个客户而已。”

“真对不起，”泰一边耙梳着黑发一边说，“我应该想到的。”

艾米瞪了他一眼，为泰犯下这种低级错误感到沮丧。因为担心不知道会给赫特兰德马场带来什么样的后果，她急红了眼。

他当然应该想到。

“我真不敢相信你会让她接走燕子！”她怒吼道。

她看到泰的神情僵住了。

“噢，算了，这不是泰的错，艾米，”卢迅速说，“在电话上跟洛希夫人回话的人是我。而且今早你的确说过燕子已经准备好了。”

但艾米克制不了自己，“你怎么能这么愚蠢？”她对泰尖叫道，“你在这里干了多久了！”

艾米话一出口就后悔了。这些话听上去明显把泰当作了雇工。她朝他走近一步，但他已经紧闭双唇，转身离开了。

“如果你需要我的话，我在后排牲口棚。”他的语气没有一丝感情。

“泰……”艾米看着泰大踏步走远，心不停地往下沉。

她干了什么啊？

她的心再次被赫特兰德马场的经济问题占据了，卢看上去对刚发生的事毫不在意。她叹息道：“听我说，我们站在这里懊悔，要是燕子还在这里该有多好，但这无济于事。我们得想想该怎么做才能改变目前的情况。我们还是进屋好好讨论一下吧。”

“给我一分钟。”艾米说。她让姐姐先回屋，自己匆匆赶去找泰。

她在马具室找到了他。“泰，对不起，”她把手放在他的胳膊上说道，“我不该冲你大吼大叫。”

泰的脸上毫无表情，“我活该。”

“我是有口无心的，”艾米飞快地说，“我真的不是有意的。对不起。”她等待着，期望他会冲她咧嘴一笑，告诉她他原谅她了。但他没有——只是耸耸肩。

“怎样都行。”

尴尬的沉默笼罩着他们。艾米突然意识到自己正抓着他的手臂。她赶紧松开了手。

“我去马厩给‘茉莉’梳洗。”泰冷漠地说，说着转身朝后排牲口棚走去。

艾米困惑地凝视着他的身影。她之前也冲他发过脾气，但他通常都会接受她的道歉。他知道她是什么样的人。她心烦意乱的时候会说出有口无心的话。那为什么这次不同？也许是因为她从来没有把他当过雇工。她难过地回到了屋里。

卢正坐在餐桌边，在一张废纸上写着什么。

“我们该怎么办呢？卢？”艾米说着坐在了她身旁。

卢抬头。“如果人们避开我们是因为他们认为我们经验不足，那么洛希夫人到处宣传就是最糟糕的事情了。”她说，“但，覆水难收，我想我们只能迎接这场风暴了。从现在开始，我们必须改变。”

“什么改变？”艾米怀疑地问道。卢有实事求是的经济头脑，之前就提出过要改变赫特兰德马场的经营状况，因为艾米一直反对，才没有实施。但艾米还是提醒自己多想想姐姐在夏天组织的筹募资金舞会大获成功的先例，卢的有些想法还是有用的。

“好吧，首先，我建议咱们要让这个地方变得更专业。”卢说。她肯定是看到了艾米脸上困惑的表情。“好啦，艾米，承认吧，咱们这个地方确实一团糟。院子里到处都是干草和麦秸，干草叉和毛刷就那么随便扔在一个角落里，粪堆好像有生命似的不断增长。这会给走进来巡视的客户留下什么印象呢？”

“这只不过是因为外公离开了，”艾米说，“泰和我都忙着做别的事。”

“好吧，我承认目前人手不够，”卢说，“但就算是外公在，这个地方也从来没有整洁过。”她摇了摇头。“我想我们需要把这里修缮一下——把马厩门重新粉刷下，用木馏油刷下围栏，重新整理下马具室，然后努力让一切保持整洁。”

艾米皱了皱眉。她喜欢院子现在的模样，但舞会后她曾承诺会听卢的。“我想是的。”她相当不情愿地说。

“那就这么定了！”卢说，“我们这周末就开始。玛尔尼会帮我们。当然，如果没有客人来看，院子再漂亮整齐也没有多大用处，所以我们应该想想怎么做广告。”她转向艾米，“你还记得我曾提过的制作宣传手册的主意吗？好吧，我会着手来做。也许这会给我们带来更多代养马。”她的脸开朗起来，“如果我们有了足够多的代养马，我们也许能再雇一个马厩帮手。只要个兼职的就够了。”

“我们要找个合适的人才行，”艾米飞快地说，“必须是对天然疗法和我们的工作方式持赞同态度的人。”就她而言，她绝不会同意在赫特兰德马场雇个不赞同妈妈理想的人。

“当然了，”卢说，听起来很吃惊，“但我想那肯定不是问题。”拿起笔，她又做了几条笔记。

艾米微微蹙眉。她有一种感觉，要找到合适的人到赫特兰德马场工作，并不像卢说的那么容易。在这个领域许多人是传统主义者，他们视从事天然疗法的医生为疯狂的心理医生。她叹了口气。然而此刻，迫在眉睫的问题不是寻找雇工，而是开拓新客源和那些只靠她和泰就要干完的所有的活儿。她站起身，“我还是到外面帮忙去吧。”

艾米朝院子走去，想着不知道泰是否原谅她了。她发现他在石头铺的饲料室里装夜间用的干草兜。

“嗨！”她说着，无助地看着他。

泰略微点了一下头，算是回应，随即又低头装干草去了。

艾米不自在地在门边磨蹭。显然他还在生她的气。她不知道该怎么做才好。最后她拿起一个干草兜，往里面装干草。“卢想出了几个好点子来帮我们吸引更多客人。”她说。泰没有回应。艾米继续兀自说，“她要设计一份宣传手册，送到所有饲料商和马具店等诸如此类的地方。”她意识到自己的语速比平时快，声音也高得不自然。泰低着头继续把干草往外倒，将它们装进兜里。

“她还认为我们该把院子弄漂亮点。她觉得这里乱糟糟的。”她咧嘴想开个玩笑，“她怎么能这么想呢？”

泰抬头看着她，唇线不悦地绷紧了。“我一直忙得没有歇过气，”他说，“我要看护十六匹马，而一天只有这么长时间。但如果你很在意，我以后会尽量把院子收拾整洁些。”

“泰，我不是这个意思，我不是在批评你，”艾米结结巴巴地说，“不管怎么说，把这里弄得乱七八糟的人是我！”

泰将装好的干草兜放进一堆干草兜里。“好了，我现在就开始去打扫。”他说。

“泰！”他从艾米身边走过时，艾米喊道。

她微微迟疑，能让他就这么走吗？她不能。“等等！”她说着追上了他。

泰停下了，依然背对着她。

“对不起。”艾米说，“我之前对你说的话是无心的。我真的是无心的。我今天早上应该和你谈谈燕子的情况，但我满脑子都是作业。”她抓住他的胳膊，“求你了……我不想吵架。你对我来说太重要了。”她看到泰的肩膀僵硬了，突然意识到自己刚说了什么。“是对赫特兰德马场太重要了。”她急促而含混不清地纠正自己。

泰转身看着她。艾米急忙松开他的手臂，尴尬地笑了笑，竭力掩饰自己的迷茫，“我今天好像不能把手从你的身上拿开似的。”

他的嘴唇动了动，隐有笑意，“我似乎对女孩子有这样的魅力。”

艾米意识到他终于原谅了她，心头涌过一阵轻松。“是吧，是在你做梦的时候吧！”她反诘道。她看到泰放松了一些。“我之前不该对你发火，我真的很抱歉。”她的声音更加平静了。

“没关系。”泰说着耸了耸肩，和她一起朝干草兜走去。“我想我反应过敏了。现在情况很艰难。”他瞟了她一眼，“你知道的，经营赫特兰德马场的责任重大，现在你妈妈不在了。”

艾米点了点头，责任实在重大，她深有同感。

“嘿，别那样一副神情，”泰柔声说，“我们会渡过难关的。”

他们四目相对，“我们一定要挺过去。”她小声地说。她看到泰的眼睛里混合着各种感情：不确定、希望和恐惧，和她心里感受到的一样。

到了喂食时间，艾米将珀加索斯从牧野往回牵。它慢吞吞地沿着车道走在她的身边，它“十七手”的身型看起来骨瘦如柴，耳朵恹恹地耷拉着。香柠檬油貌似没有起什么作用。然而，艾米知道不要指望出现神奇的疗效。自然疗法通常起效慢。她拿起瓶子，在手背上滴了几滴，把手递给它。

珀加索斯舔掉了，它的舌头刮擦着艾米的肌肤。她看着它的肋骨比从前更突出了，不由得皱起了眉头。

艾米走到饲料室，泰正在把谷子往黄色的马桶里舀。“我要给珀加索斯喂点儿糠料，”她说，“我得诱惑它吃点什么。”

“往里面加根香蕉和一点儿蜂蜜试试，”泰建议道，“它们都有增强体力的作用。”

艾米点了点头。但是尽管她还往饲料里额外添加了一些珀加索斯喜欢的干薄荷粉，它也只是吃了一点儿热乎乎的饲料。它把鼻口搁在食槽上，艾米抚摸着它。它耳朵下的凹陷很刺眼，眼睛也深深凹进去了。

“我该拿你怎么办，珀加索斯？”她柔声说。

珀加索斯喷了喷鼻息。艾米搂住了它的脖子，把脸颊靠在它粗糙的马鬃上。她不忍心看到它这么消沉。

艾米离开马厩去找泰。

“我要给斯科特打电话。”她说。

“好主意。”泰表示赞同。

艾米朝房子走去。斯科特·特里温是她的朋友马特的哥哥，是当地的马兽医。他很年轻，相信传统疗法配合自然疗法更有效。他对玛丽恩的工作充满兴趣，在玛丽恩死前，他们成了挚友。艾米打通了斯科特工作的兽医中心电话。斯科特问了艾米几个问题，说他稍后会过来给珀加索斯做个检查。

“不着急，斯科特，”艾米不想打扰他的夜间生活，“我们就是有点儿担心。”

“我今晚会过去一趟，这没问题，”斯科特语调深沉地安慰她，“我没有什么事，正好顺路。”

“谢谢。”艾米感激地说。

六点半，斯科特开着他那辆破破烂烂的小汽车沿着赫特兰德马场的车道颠簸驶来。

“这么说，珀加索斯在绝食？”他问，并从车里拿出他的黑提包，和艾米一起朝院子走去。这名兽医相貌堂堂，个子高挑，肩膀宽阔。

“是的，”艾米答道，“还非常安静，我想它真的很想念妈妈。”

斯科特在马厩里拍了拍这匹老态龙钟的灰马，听了听珀加索斯的心跳和呼吸，给它量了下体温。

“嗯，尽管它的体重减轻了，但并没有明显的不正常。”他最终说，“有可能是病毒。其他马有没有表现出同样的症状？”

艾米摇了摇头。

“我给它验下血。”斯科特说着从包里拿出一支注射器。

艾米看着深红的血液充满了针管。“你觉得它这样会不会是因为妈妈？”

斯科特一边取针一边考虑这个问题。“也许。有些人会不赞成我的看法，但我认为如果马失去了亲密伙伴，不论这个伙伴是马还是人，都会被这种伤痛压倒。珀加索斯的症状不明显，可能是受感情困扰，也有可能是诸如病毒之类的身体疾病造成的，还有可能是更严重的身体紊乱。”

“更严重的身体紊乱？”艾米吃惊地重复他的话。她从没想过珀加索斯有可能是真的病了。

“我保证没有什么大碍，”斯科特说，“过一两天你可能会发现它精神又好了。”

艾米拍了拍珀加索斯。“但愿如此。”

就在这时，卢从马厩门外探进头来，“嗨，斯科特。”

“嗨，”斯科特的两眼顿时充满光彩，“你好吗？”

“还不错，”卢说，“有没有发现珀加索斯有什么

问题？”

“没有明显的问题。”斯科特回答道。他把刚才对艾米说的话对卢重复了一遍，然后把东西装进包里。“好吧，我想我得走了。”他说着直起了身子。

卢为他打开马厩门。“你想……来杯喝的吗？”她的声音一贯自信，但这次却有点儿不自在。

艾米看着姐姐，一丝绯红悄悄爬上了卢的面颊。

“好的，”斯科特微笑着说，“这太好了。”他走出马厩，突然想起艾米还在那里，他转身面向她，“你也来吗，艾米？”

“我想和珀加索斯再待一会儿。”艾米说。她目送卢和斯科特一起朝房子走去，忽然产生了一个想法。卢和斯科特是不是对彼此有意思？不久前，卢一直和她在曼哈顿认识的卡尔·安德森约会，但他们现在已经结束了。艾米搂着珀加索斯的脖子。“但愿如此，”她对它说，“他们在一起太配了，你觉得呢？”

珀加索斯抬起头好像在点头。艾米笑了。她知道它这个动作不过是因为一只苍蝇恰巧落在了它的鼻子上，但它好像听懂了。

“我爱你。”她小声说着，亲了亲它的脸庞。

珀加索斯轻轻地喷了喷鼻息，算作回答。

第四章

第二天早上，当艾米走进房子去换衣服上学时，发现卢正放下电话，神情忧虑。

“是劳拉·格林。”她告诉艾米。

“耳语的主人？”艾米说。

卢点了点头。耳语是她们仅剩的两匹代养马的其中一匹。“她想接耳语回去。她今天下午会开拖车过来。”

“为什么？”艾米质问道，“它康复得很好。”

耳语被送到赫特兰德马场来是为了培养它的自信心。经过几个星期的精心训练，它的信心和信任已经有很大提高，艾米和泰已经决定这周末第一次试骑它。

“她和洛希夫人聊过，”卢说，“猜猜她要把它送到哪里？”

艾米从卢的脸上已经看出了答案，“不会是绿石南吧？”她说。卢点了点头。“这太不公平了！”艾米喊道，“工作全都是我们做的，好评却全归他们。”

“是啊，”卢叹息道，“但我们又能怎么办呢？”

艾米对这一切的不公平充满怒火，气冲冲地上楼去了。先是燕子走了，现在是耳语。所有好处都归绿石南了。

那天在学校食堂，艾什莉朝她走来，进一步激起了她的怒火。艾米当时正和苏拉娅坐在一张餐桌旁，艾什莉悠闲地走了过来。

“嗨，艾米，”艾什莉抱起双臂，得意地笑道，“我听说你又要失去一匹代养马了。”

艾米怒视。

“快滚开，艾什莉。”苏拉娅说。

艾什莉不理她，显然是有备而来。她讽刺道：“一周之内连失两个客户，有些人也许会说这也太粗心了吧。你怎么得罪她们的？”

艾米十分气愤，握住刀叉的手指顿时攥紧了。

“洛希夫人对燕子送到我们这里之后取得的进步很满意，”艾什莉说，“我昨天骑着它上路了，它没有犯一点儿错。当然了，就像妈妈对洛希夫人所说的，那是因为我们有丰富的经验可以治好它。”

这是最后一根稻草。艾米不能忍受想象艾什莉骑着燕子的样子，她一下子跳了起来。“经验？”她厉声喝道，根本不在乎周围的人用怎样的目光注视着她们。“它实际上已经好得差不多了。你们根本不需要做什么！”

艾什莉狂笑道：“真遗憾，洛希夫人可不这么认为。面对现实吧，艾米，赫特兰德马场的日子不剩几天了，凡是稍有头脑的人都看得出来。”艾什莉转身离去，但突然又停住了。“噢，顺便说一句，”她说，“我最近又赢了，你听说了吗？我获得了马术赛的奖杯，第一年参加草原的‘小猎马和初级小猎犬赛’，我就满载而归，真是说不出的开心。遗憾的是，你再也没时间去参赛了，你过去一直表现不错。”艾什莉得意洋洋地大笑着走开了。

当天晚上，艾米回到赫特兰德马场时，卢正在讲电话，表情紧张，眉头紧锁。

“不，”她边说边摇头，“不，我们不想。”然后是短暂的停顿。“是的，你们的开价很高，我很感激，泰德，但就如我所说，我们并不打算卖掉赫特兰德马场。”又是短暂的停顿。“好的，如果我们改变主意，一定会告诉你。好的，再见。”

“是谁？”卢放下电话时，艾米好奇地问道。

“泰德·格兰特，”卢回答道，“他想知道我们是否有兴趣卖掉赫特兰德马场的土地，他们显然是想扩大绿石南。”她看到了艾米脸上的震惊之色，赶紧补充道，“我拒绝了。”

“这一家人简直不可理喻！”艾米把书包扔到了地板上，大声喊道，“他们为什么不能让我们清净一下？”

“他们开价很高。”卢说。

“但我们不想卖！”艾米说。

“嘿，”卢试图岔开话题，“今天还有个好消息。有个客户给我们打了个咨询电话，是一位名叫加西亚的夫人，她有匹马不肯上拖车，周六会给我们打电话过来看看。”

“这太好了。”艾米说。

卢点了点头，蓝色的眼眸里流动着如释重负的轻松。“我给她报了价，她很满意，我的报价显然比绿石南低了五十美元。”

艾米难以置信地睁大了眼睛，“你给她报价？”她抬高了嗓门，“但我们是不报价的！”

“嗯，是她问我的，”卢辩解道，“我有什么办法？通常你只需花一周时间，不是吗？我给她的报价是以这个估算为基础的。”

艾米不敢相信自己的耳朵，“但我们不知道这匹马是什么样子的，它也许需要花一个月时间！”她喊道，“你给她报价根本不可行，只有在她把马送过来几天后我们才知道价格。”

“我不能这么做，这不专业，”卢反对道，“我们应该建立价格标准，坚守标准。其他地方都是这么做的。”

“但我们这里和其他地方不同！”艾米喊道，她越来越沮丧，“这才是赫特兰德马场的意义所在，妈妈总是像对待一个人一样对待送到我们这里来的每一匹马。”

“但是艾米——”

“不！”艾米激烈地打断她，“这点不能改变，卢，无论如何都不能！”

“好吧，好吧，”卢一边说一边耙梳着头发，“等加西亚夫人星期六来后，我会和她解释清楚的。”

看到卢脸上担忧的皱纹再次出现，艾米感到很难过，但她下定决心，这件事决不让步，这是赫特兰德马场有别于其他地方的原因之一——相信每一匹马都是不同的，必须根据它的需要来区别对待，她不打算改变这点。

周六早上，加西亚夫人到了。她个子高挑，身材瘦削，当卢跟她解释说她给出的价格有可能变动时，她立马变脸了，“但你在电话上跟我谈好了价格的。”她说。

卢看起来明显很尴尬：“我知道，实在对不起。”

艾米试图帮助姐姐：“您看，我们只有和马相处几天后，才能知道它要花多少钱，每一匹马花费的时间都不同。”

“我明白了，”加西亚夫人冷淡地说，然后转向卢，“这么说，你是要告诉我价格也许会变？”

“是的，要看治疗过程要花多久，”卢说，“也许只会花三天。”

“好吧，三天是初期治疗，”艾米赶紧插嘴，“然后还要花几天时间来确认它的行为问题是否真的治愈了。”

加西亚夫人不理她，显然只把她当作卢的小妹妹，是个无足轻重的小人物，“三四天？”她吃惊地问卢，“在绿石南，他们告诉我至少要花十天。”

艾米看过妈妈甚至用更短时间治好一匹马的——只要理解和尊重马儿，问题处理起来通常就很简单。然而，她想对加西亚夫人讲明情况。人们把马送到赫特兰德马场来要严格按照马场的做法，赫特兰德马场有权决定用何种方法治疗和需要花费多长时间。“有的时候，花的时间也许要长得多——一个月也是有可能的，”她不顾卢恶狠狠的眼神，说道，“有时甚至是六周。”

“六周！”加西亚夫人睁大双眼重复道。

“当然，但我肯定您这匹马不需要这么长时间，加西亚夫人。”卢赶紧说。

“但你们不能保证，”加西亚夫人说，一边摇头一边往后退。“不，对不起。我想我还是把我的马送到别的地方去吧。”

“但加西亚夫人，我说的是真的，就像我刚才说的，也许只花三天。”卢绝望地说。

但加西亚夫人已经出了农舍，朝她的车走去。

卢转向艾米，“艾米！”她沮丧地喊道，“你怎么能这样？现在她会回到绿石南，而我们依然空着一间马厩！”

“我只是跟她实话实说而已。”艾米反驳道。

卢双眼冒火：“实话！你是在用尽全力把客人赶走。”

“我没有！”艾米反驳道。

卢摇了摇头，“你难道还不明白？我们没有钱了。如果我们不尽快找到一些付费客户，我们将会陷入严重的困境，我们拿什么来喂那些马？拿什么来支付泰？如果我们的银行里没有钱，我拿什么开支票？”她深吸了一口气，“听我说，如果我们想生存下去，你也许要忘掉一些所谓的原则。”

艾米瞪着她：“不！”

“嗨！”一个声音试探地打了声招呼，两人猛地转身。站在她们身后的是个二十出头，身材高挑、苗条的姑娘，金色的秀发呈丰盛的螺旋状垂在她的肩膀上，额头因担忧而皱了起来。

“玛尔尼！”卢喊道。

玛尔尼的视线从艾米的身上转移到卢的身上：“我是不是来的不是时候？”

“怎么会，”卢急忙上前，“别傻了！见到你太好了！”

“我也是，”玛尔尼说着抱紧了她，“我把车停在了前门……嗯……”她探究地扬起了眉毛，“我听到这里有声音。”

卢咧嘴笑了，“声音那么大，我想你找不到我们都难，”她飞快转身，“这是我妹妹，艾米。”

艾米走上前说道：“你好！”

“嗨！”玛尔尼的脸上洋溢着温暖的微笑，和艾米打了声招呼，“我听说了太多关于你和赫特兰德马场的事。”

“来吧，我们带你四处看看。”卢说，“你要不要先换身衣服？”她看到玛尔尼漂亮的裤子问，“也许会把身上弄脏。”

“那有什么关系？”玛尔尼咧嘴笑道，“衣服脏了可以洗，来吧，前面带路。”

艾米跟着卢和玛尔尼往院子里走。她有一种感觉，她会喜欢上姐姐的这个朋友。

她们在后排牲口棚遇到了泰。“见到你很高兴，泰。”玛尔尼说着和他握了握手。她突然在其中一间马厩里看到了那匹设得兰群岛小马驹——萨加富，惊喜地喊道，“再没有比它更可爱的小东西了！”她立马蹲下来跟这匹小马驹打招呼。这匹设得兰群岛小马驹蹭着她的脸，像往常一样给点儿阳光就灿烂得不行。她抬头看着艾米，“你住在这里真是太幸运了，这个地方棒极了！”

艾米咧嘴望着她，看到她那么兴奋，自己也感到很高兴。

“我小的时候一直想住在这样的地方。”她们在院子里转悠时，玛尔尼说。

“你住在哪里？”艾米好奇地问她。

“新泽西，”玛尔尼回答道。她们走到了前排牲口棚，她朝珀加索斯的马厩里面望去。“嘿，那家伙看起来有点儿闷闷不乐。”她柔声说。

“是啊。”艾米说着走到门边。珀加索斯的状况没有什么好转。它还是不吃东西。

“它怎么了？”玛尔尼好奇地问。

“我们也不知道。”卢说。

“给它验过血了，没查出什么毛病。”艾米说。斯科特昨天给她打过电话，告诉她验血没有确定的结果。“我想它只是太思念妈妈，它真的很爱妈妈。”

“可怜的家伙，”玛尔尼说，“它会好起来吗？”

好起来？艾米看着玛尔尼，心跳漏掉了一拍。珀加索斯当然会好起来。她甚至没有考虑过它有可能不会。“是的……是的，它会。”她说着点了点头。她转身看着珀加索斯，它必须好起来，想到有可能失去它，艾米心如刀割。

艾米和卢帮玛尔尼从车上卸下了行李，卢带她去妈妈的旧房间。玛尔尼一边整理两大提箱行李一边不住地摇头。“我把所有衣服都带来了，”她说着将其中一个手提箱拎进了房子里，“但只带了一条牛仔裤和一条短裤。我想我只能靠这两条裤子度过这段时间了。”

“别担心，”卢说，“我们这里有适合你穿的。”

艾米和卢往楼下走去，让玛尔尼整理箱子，换衣服。

过了一会儿，玛尔尼在厨房找到了她们。“这个假期将会过得很开心。”她兴高采烈地说。这时的她，身着一条旧牛仔裤剪掉膝盖以下部分做成的短裤、一件T恤和一双运动鞋，蓬乱的头发向后梳了个马尾。

“我现在都不知道还有度假这回事，”卢咧嘴笑道，“有一大堆事情要做。”

“卢制定了些计划。”艾米提醒玛尔尼。

玛尔尼扬起了眉毛，“听起来不是什么好兆头。”

“噢，倒霉透顶，”卢一边有意逗她，一边打开冰箱，“来杯冷饮怎么样？”

她们很快就围坐在餐桌旁，喝着罐装可乐。“那么来

吧，”玛尔尼对卢说，“跟我讲讲。这种生活方式的改变怎么样？这和竞争激烈的都市生活完全不同，你是怎么应付的？”

“噢，你知道的，”卢耸了耸肩说，“我适应得很好，尽管我的确很怀念一些东西。”

“还算有良心！”玛尔尼说，“你的所有朋友都很想念你。”

艾米感到一丝异样，她从来没有认真去想过卢在城市过着怎样的生活，她似乎已经变成了赫特兰德马场不可或缺的一部分，很难想象就在三个月前，她两年都没有回来过，一直过着自己独立的生活——住在公寓里，有个男朋友，有一份固定工作——而那个世界里没有艾米。

“这里的责任很艰巨，”卢继续道，“尤其是现在外公不在家，情况更糟糕。”

“但住在这里肯定有好的方面。”玛尔尼说。

艾米不知道卢会怎么回答。

“噢，是的，”卢说，“有很多好处，我对马的热爱复苏了，拥有这样一个家，嗯，乡村生活感觉棒极了。”

玛尔尼咧嘴笑了。“这里的男人呢？来吧，快跟我讲讲，这里的男人怎么样？”

卢羞红了脸。“噢，你知道的。”

“我想知道得更多！”玛尔尼喊道，“快把那些小道消息跟我们讲讲。”她仔细看着卢，“我敢打赌你肯定是喜欢上了那个小伙子，否则你不会脸红。”她转向艾米，“来吧，艾米。你得全部告诉我。自从你姐姐甩掉卡尔后，她的生活中是不是出现了一个新的男人？”

“我忙得要死，哪有那个闲心，玛尔尼！”卢抗议道。

“艾米？”玛尔尼穷追不舍。

卢急得跳起来，“我们该去帮助泰了，别坐在这里八卦了。”

“那好吧，这次饶过你，”玛尔尼说，不情愿地站起身，“但我一定会查个水落石出的，”卢朝门口走去时，她警告道，“你就等着瞧好了。”

下午，艾米往牧野走去，去把珀加索斯牵回来。它像往常一样站在门边，艾米呼唤它的名字，但它的耳朵一动不动。她的心急速下沉，日子一天天过去，它不仅没有好转，反而更严重了。药物好像没有起作用。她拍了拍它的脖子，将缰绳飞快地放在它的马笼头上。

“来吧，”她柔声说，“我们回你的马厩。”

艾米啧啧舌头，但珀加索斯依然一动不动，“来吧，小伙子。”

珀加索斯深深叹了一口气，慢吞吞地朝前走了一步，然后又一步，它在车道上拖动着马蹄。但它似乎突然被什么绊到了，不由自主地向下跌去。一声巨响，它庞大的身躯倒在了地上。它跪倒了，接着瞬间侧身翻倒在地。

艾米感到天地突然凝滞了。“珀加索斯！”她惊叫道，立刻趴倒在它的身边。它抬起了头。

她迅速有一种如释重负的感觉，它还活着。

“珀加索斯！来吧！站起来！”艾米敦促道，拉着它的马笼头，“来吧，小伙子！”

这匹马望着她。

不，它的眼神似乎在说，我不能。它的头再次垂到了地上。

恐惧刺痛了艾米。她放下缰绳，沿着车道跑去。

“卢！”她尖叫道，“快来！”

第五章

艾米蹲在珀加索斯的头边，抚摸着它，柔声跟它讲话。玛尔尼焦急地站在旁边。她和卢一听到艾米的呼喊就赶紧跑过来了，而卢则直接跑去打电话了。

此刻，她沿着车道匆匆忙忙地朝她们跑来。“我给斯科特打过电话了，”她说，“他马上就来。”

艾米眼神慌乱地看着卢，“我没发现它哪里流血，但它肯定有哪个地方折断了，它躺在地上我看不到。”

卢接过缰绳。“来吧，珀加索斯！快来！”但珀加索斯没有动。它的眼睛半闭着，鼻口搁在地上。

“卢！我们该怎么办？”艾米喊道，她多么希望泰在这里，但他今天休息半天，午饭后就离开赫特兰德马场了，“它肯定受了伤。”

“保持冷静。”卢说着将一只手搭在艾米的肩上，一如既往地冷静和沉稳，“就算你再着急，也不能帮到珀加索斯。”

“但我没法平静下来！”艾米冲口而出，她呼吸急促，眼睛里闪着泪光，“珀加索斯！请你站起来！”她恳求道。

“听我说，我去拿些食物来，”卢说，“吃点东西也许能鼓舞它的士气。”她匆匆走开了，几分钟后，她提着一桶方块状的小马驹饲料回来了。她摇了摇饲料，但珀加索斯的眼睛几乎没有朝她的方向看。

“它好像呆住了。”玛尔尼说，焦急地望着卢。

“有可能是倒下时受到了惊吓，”卢说，“也许它根本没有受伤。艾米，妈妈是用什么药物治疗受惊的？”

“营救药物。”艾米说。

“你能去找一些吗？我去拿条毯子来，病人受到惊吓，保暖很重要。”

艾米惊魂未定中感觉卢说得有道理。她跳起来，朝马具室的药柜跑去，从架子上取下盛装营救药物的棕色瓶子，赶紧朝珀加索斯跑去。

她蹲在它身边，往自己的手背上滴了几滴，递给了它。它闻到气味，轻微张开了鼻孔，抬起头，从她的手上舔掉了那几滴药物。“好小伙儿。”艾米看到它有了动静，十分高兴。

“你给它吃的是什么？”玛尔尼问道。

“贝曲花药，”艾米告诉她，“是几种不同的花精的混合物。妈妈一直用它来治疗突然遭受的心灵创伤或惊吓。”

卢拿了条毯子回来了，用它盖住珀加索斯的身子。她瞟了眼手表。“不知道斯科特还要多久才能到。”

她们焦急地望着珀加索斯，每一秒都过得格外漫长。过了五分钟，艾米发现它的眼神看起来精神多了，它微微抬起头，耳朵竖起。“营救药物起效了！”艾米冲玛尔尼和卢喊道。她跳起来，拉着缰绳，“好小伙儿！来吧，珀加索斯！快起来！”

珀加索斯沉重地呻吟了一声，跌跌撞撞地站起来。它垂着头，膝盖刮破了皮，在流血，右后踝上割了一条长长的口子，似乎没有骨折，这令艾米松了口气。她一直很害怕它站起来的时候变成瘸子，但它四条腿四平八稳地站在地上。

艾米正打算给它检查，这时车道上传来疾驰的车声。艾米扭头一看。“是斯科特！”看到这位兽医的车在农舍外停下来，她如释重负地说。

推开门，斯科特从车上跳出来，朝她们跑来。

半个小时后，珀加索斯回到了它的马厩里。这个过程很缓慢，但一回到马厩，兽医就给它彻底检查了一遍，清理了伤口，注射了一针抗生素来抵抗感染。艾米、卢和玛尔尼从门外往里看。当斯科特开始收拾仪器，耐心等待斯科特治疗珀加索斯时，艾米心里的所有问题迅速涌了上来。

“它怎么了？它为什么会晕倒？”她的声音抬高了，“它得了什么病，斯科特？”

“它不吃东西，营养不良，”斯科特回答道，“我想它就是因为身体虚弱才一倒不起的。它的摔伤不严重。”他皱起了眉头。“让我更担心的是它没有胃口。”

“你有没有想到它为什么不肯吃东西？”卢问。

斯科特面色严峻。“原因有很多，”他看着艾米，“要记住，它是匹老马。”

“什么意思？”艾米飞快地问道。

“从它的年纪和症状看，有可能是一种非常非常严重的疾病。”

“不！”艾米顿时热泪盈眶。

“对不起，艾米，”斯科特低声地说，“但我真认为它的情况不容乐观。”

“它不会死的，是不是，斯科特？”卢面色苍白地问。

一阵可怕的沉默笼罩着他们。

“我也说不好，”斯科特回答道，他严肃地摇了摇头，“我会把它带到中心去，做些检查，但我不认为这样的长途跋涉对它有好处。这会让它承受巨大的压力，也许检查结果只会发现比预料的更差。”

斯科特看着艾米。“我知道这话很难接受，但这也许是它死亡的开始。”

“这不可能！”艾米啜泣道。她从斯科特的身边走过，张开双臂抱住了珀加索斯的脖子，撕心裂肺地哭起来。

斯科特对卢说：“我想我们只能等着看接下来的几周会发生什么情况了，”他说，“如果它的状况持续恶化，我想最人道的做法是让它安眠。”

艾米听见了，大声哭起来。没有了珀加索斯她还怎么活？她听到身后有麦秸的瑟瑟声，卢走过来抱住了她。

“一切都还没最后定论呢，”卢说，“也许它能好起来。”

“它会的，”斯科特慢慢地说，“据我的推测，它的症状最有可能是受感情困扰。只要抑郁感一平息，它就能恢复精神，或许还能快乐地陪伴你好几年。”

艾米的心略微跳了跳，也许珀加索斯能完全康复，她抽泣了一下，抬头问：“我能帮它做些什么？”

“能想到什么都试一试，”斯科特对她说，“谁也说不准，有些东西也许会起作用。”

艾米点了点头，“我会做一切尝试。”她抱紧了珀加索斯的脖子。“我会让你好起来的，小伙子，”她激动地对它说，“我一定会。”

“来吧，”卢一边柔声说，一边捏紧了她的肩膀，“我们让它休息吧。”

回到厨房，卢给玛尔尼和斯科特做了正式介绍。

“很高兴见到你。”玛尔尼冲这位兽医笑了笑。

“我也是。”斯科特礼貌地说，看到卢要从冰箱里拿四罐饮料出来，他立即起身去帮她，“给我，”他说，“让我来。”

“谢谢。”卢感激地回答道。

斯科特从卢的手里接过两罐，两个人的手碰到了一起。两片红霞立即飞上了卢的脸颊，艾米朝玛尔尼望去，看她是否注意到了，但她刚好洗手去了。

“生意怎么样？”卢去拿薯条的时候，斯科特问道，“情况有没有好转？”

“没有。”卢坦白说。

“嗯，我有个好消息，”斯科特对她说，“我刚给你们找到一个新客户，是丽莎·斯蒂尔曼。”

“那位养阿拉伯马的丽莎·斯蒂尔曼？”艾米马上来了兴趣。丽莎·斯蒂尔曼在距离这里一个小时车程之外的地方，经营了一家大型阿拉伯种马场，她饲养的马是整个州出了名的超级赛马。

“正是她，”斯科特回答道，“我几个月前给她的马看病，她有一匹小马驹，最近凡是有人想骑它，它就表现出极强的攻击性。我检查过，小马驹身体上并没有什么毛病，因此这必定是个行为问题。我建议她把马送到你们这里来。”

“那真是太好了！”艾米兴奋地望着卢说，“丽莎·斯蒂尔曼的种马场很大！如果她喜欢我们，那就会有许多客人蜂拥而至。”

“那匹马已经被送去过其他两个养马场，”斯科特说，“包括绿石南，都对它束手无策，丽莎已经没办法了。”

“嘿，卢，”玛尔尼说，“这将是你们的大好机会。听上去只要你们和这位女士联系上，就会大功告成。”

卢双眼放光。“她会给我们打电话吗？”她问斯科特。

“嗯，我对她说我会跟你谈谈，给你安排时间过去，好让她见见你，”斯科特回答道，“要把自己的马送去哪里，她向来慎重，她的大部分马都很珍贵。”他抓了抓头，“你知道，如果你愿意，我现在就给她打电话，带你过去，我反正要去那里看一匹正在治疗的马。”

“这太好了！”卢说完，脸色忽然又阴沉了下来，“噢，那珀加索斯怎么办？我们不能丢下它不管。”

“我留下来吧。”艾米立即说。

斯科特摇了摇头，“丽莎会问你打算怎么治疗诺言。”

“我留下来陪它怎么样？”玛尔尼主动提出。

“谢谢，玛尔尼，”卢说，“但还是我留下来比较好。珀加索斯和认识的人在一起会更开心。”

艾米看着斯科特，他的眼神中似乎闪过一丝失望，但他还是理解地点了点头。“是的，我想这样最好，”他说，“艾米和我去就行了。”

“那我也可以跟去吗？”玛尔尼问他，“我想去看看那个地方。”

“当然了，”斯科特说，“我立刻给丽莎打电话。”

十分钟后，艾米、玛尔尼上了斯科特的车，艾米坐在后面，后排座位上放着斯科特的大外套、一个大兽医设备和一个沉重的电筒。她把几张地图和一盒药物放在前排座位下。

“真不好意思，后面乱七八糟的。”斯科特扭头说。

“没关系。”艾米回答道。

“你当兽医多长时间了？”车开动时，玛尔尼问道。

“嗯，我六年前取得资格证，”斯科特回答道，“三年前才开始专门从事马兽医工作。”

玛尔尼抬头冲他甜甜地微笑着，“这工作肯定很有趣。”她把一束头发夹在手指间把玩，“你最喜欢什么？”

斯科特侃侃而谈，玛尔尼则不停地热情点头、微笑、大笑。艾米突然意识到玛尔尼还不知道卢喜欢斯科特。

艾米的眼睛睁得大大的。

玛尔尼正在和他调情！

“你和卢认识多久了？”斯科特问玛尔尼。

“自从她去曼哈顿工作，我们就认识了，”玛尔尼回答道，“我们在同一家公司上班，我——”

“那你一定认识她的前男友。”斯科特插话说。

“卡尔？”玛尔尼问，“是的，他现在在芝加哥工作。”

“那他们现在还有联系吗？”斯科特的话听起来很随意，但艾米嗅出了他声音里的嫉妒。

“据我所知没有。”玛尔尼有点儿吃惊。

“自从他们分手后，她就再没有和他联系过。”艾米插嘴道。当卢发现卡尔为了说服她搬去芝加哥和他一起生活，在她背后搞小动作，帮她在芝加哥找了份工作后，他们就大吵了一架，分手了。

斯科特摇了摇头。“她最近日子不好过，对不对？”他说，“这里发生的一切，和她决定放弃工作待在赫特兰德马场。她不得不应对人生的大起大落，不过她似乎处理得很好。”

艾米看到玛尔尼飞快地斜睨了他一眼。这个大女孩的脸上突然出现了恍然大悟的表情。“是的，”她略微停顿了一下，又立马答道，“卢很棒。”她的手垂到了膝头，

“再也找不到比她更好的朋友了。”

丽莎·斯蒂尔曼的种马场名叫菲尔德，位于一条笔直的长车道末端，两边树木林立。艾米看到树后面有招人喜欢的阿拉伯马在丰茂的原野里吃草。

他们开车经过一栋漂亮的白房子，在那里停下了。马厩设置在一个砖瓦院子的外围四周。紫色和粉红色的花儿如瀑布般从大大的吊篮垂下。每一间乌木马厩门上都有个闪亮的黄铜姓名标示牌。马厩伙计四处忙活，每一个都穿着绿色的制服马裤和左边绣着菲尔德徽章字样的衬衣。

“噢，天哪！”艾米忍不住惊叹，从汽车里走了出来，她看着几匹漂亮的阿拉伯马从马厩门上往外张望，它们的耳朵竖起，凹陷的脸颊充满好奇，“这个地方太棒了！”

斯科特咧嘴笑了，“我早就想到你会喜欢这里的，”他关上车门，“我去看看丽莎在哪里。”

他大踏步走去，向其中一位马厩伙计打听。他一走开，玛尔尼就转向艾米，“你知道吗？我觉得他喜欢卢！”

艾米点了点头。

“原来你早就知道了！”玛尔尼呻吟道。她双手抱头，“而我还傻乎乎地和他调情，我感觉自己是个白痴！但他太帅了！”她抬头看着艾米。“卢也喜欢他，对不对？”玛尔尼说，声音立即变得充满希望。

“我很肯定，她也对他有意。”艾米说。

“噢，好吧，那我没机会了！”玛尔尼说，“这就是人生啊。那他们怎么到现在都没有在一起呢？”她好奇地问。

“我想，和卡尔分手对卢来说是个艰难的决定，”艾米回答道，“她和斯科特正在慢慢了解彼此。”

玛尔尼咧嘴笑了，“好吧，现在有我在，我们很快就能让他们加快发展。”

斯科特大踏步朝她们走来，玛尔尼立刻不做声了。

“看来丽莎在办公室。”斯科特说。于是他们朝院子

尽头边上的红砖大楼走去，他压低声音说：“先提醒你们一句，她这人有点儿不好打交道。”

他们走进办公室，一个四十多岁的女人坐在办公桌后。她一看到他们就立即站起身。“斯科特！”她的声音有点嘶哑刺耳，不过很迷人。她一头惹眼的金发垂到肩头，穿着紧绷的奶白色马裤，衬托出她苗条的身材，上身穿着一件开胸真丝衬衣。艾米睁大了眼睛，她想象不出丽莎·斯蒂尔曼长什么样，但绝没有想到她会如此美丽动人！

“你好吗，亲爱的？”丽莎说，从办公桌后走出来，伸出双臂。她在斯科特两边面颊上亲了亲。

“我很好，”斯科特立刻转身，“让我为你们介绍一下。这是从赫特兰德马场来的艾米·弗莱明，这是她们家的一个朋友玛尔尼……”他顿了顿。

“戈登。”玛尔尼迅速补充道。

“玛尔尼·戈登，”斯科特回答道，“艾米的姐姐卢要留在家里照顾一匹马，但我确信艾米能回答你所有的问题。”

丽莎看着艾米，整个脸紧绷起来，问道：“你多大了？”

“十五岁。”艾米回答道。

“别失望，”斯科特赶紧说，“艾米在这方面很精通，在赫特兰德马场有过优异的记录。”

丽莎转向他，“诺言是匹很珍贵的马，我不想把它交给一个十五岁的小丫头！”

“丽莎，艾米比年龄长她一倍的人的经验还要丰富。”斯科特说道。

“我之前治好过珍稀马匹，”艾米插嘴道，她顿了顿，丽莎看着她，“我最近治好了尼克·哈利维尔的一匹最好的小马驹，它有拖车恐惧症，”艾米飞快地说，立即吸引了对方的注意，“我掌握了我妈妈过去在赫特兰德马场使用的所有技巧。她把知道的一切都教给了我。”

“都是些什么技巧？”丽莎追问道。

“用爱心、尊重和理解来对待马匹，”艾米说，尽量不让自己被这个女人的态度吓倒，“用奖励而不是用惩罚来对待它们，从不恫吓和惊吓马儿，”她扬起下巴，正面迎上丽莎的眼睛，“倾听马的心声。”

他们一时变得沉默。丽莎若有所思地眯起了眼睛，突然点了点头，“好吧，”她说，“我喜欢你的态度，我就把诺言交给你了。”

艾米感到一阵巨大的如释重负感。她还以为丽莎会请她们走人。

“来看看它吧。”丽莎说。

艾米跟着她走出办公室，丽莎指着几间马厩外的一个马厩。“就是它——一匹帕洛米诺马。”

一匹格外漂亮的阿拉伯马正从马厩门上张望，乳白色的长刘海遮住了它的脸，双眼明亮，深灰的鼻孔精致优雅。艾米皱起了眉头。这匹母马的脑袋无处不显示出它的智慧、温柔和敏感。“它看上去没有攻击性啊。”艾米评论道。

“它是没有，”丽莎·斯蒂尔曼说，“除非你想骑它，上周我们给它套上马具，带它去参加一场比赛，没想到它居然要攻击裁判员。”

艾米慢慢走上前。诺言转身看着她，好奇地竖起耳朵，但艾米注意到它的眼睛暗含戒备。走到门边，艾米停下了，轻轻地抚摸着它的脑袋。

“它过去怎么样？”她问道。

“我是六个月前从一个上了年纪的朋友那里买下它的，”丽莎说，“当时她正在清空她的牲口，而我正在找一匹帕洛米诺马。诺言有最优良的血统和温和的性情，要不就是我当时看走眼了。”她后悔地补充道，“最初几天它很不错，可是一天早上，一个马厩伙计给它备鞍时，他抓住它不让它乱动，它却在他的肩膀上狠狠咬了一口。他就开始打它，可它居然踢人。从此以后，情况变得越来越糟糕。只要一看到马鞍或马笼头靠近，它就会攻击身边的人，如果你想骑到它背上，好吧，它会发疯似的弓背跃起。”

“那它在原来的家里没问题吧？”艾米问。

“当然了，”丽莎说，“它有一半时间是给我那位朋友半盲的孙子当坐骑，很显然，它一直表现得很好。”

艾米看着这匹帕洛米诺马，它孤独地站在那里，“它去过其他养马场吗？”她问道，“他们是怎么对待它的？”

丽莎耸了耸肩，“想让它明白谁才是老板，根本没有用。它遭受训斥，挨过鞭子，只是让它变得更暴躁。最后他们还是把它送回来，说它是一匹残暴的马，”她皱起眉头，“但我不相信。”

看着诺言聪明的脑袋，艾米也不相信。她的妈妈一直坚持：认为马匹残暴，实际上是错误的见解。是的，也许真有无可救药的马，但那极其少见，通常来说，恐惧才是所有行为问题的根源—— 一旦正视、着手治疗并驱除了恐惧感，问题也就随之解决了。

“你是怎么认为的？”丽莎问，“你能帮助它吗？”

艾米点了点头，根据妈妈的逻辑，只要找到诺言恐惧的根源，让它停止攻击行为就根本不成问题。“当然，”

她诚实地说，“我不知道要花多长时间。”

“你需要多长时间都没关系，”丽莎坚定地说，“我只想让它好起来。”

“嗨，你们三个！”斯科特停下车时，卢急切地从房间里跑出来，“情况怎么样？”

“很好，”艾米说，“珀加索斯怎么样了？”

“没有明显改善，”卢说，“我喂它吃了几根胡萝卜，除此之外没有别的了。”

“你真应该去看看那个地方，卢。”玛尔尼兴致勃勃地说，“简直太棒了。丽莎·斯蒂尔曼在院子周围设置了许多漂亮的马厩。”

“那匹马怎么样？”卢急切地问道。

“明天会过来。”艾米说。

“真的吗？”卢惊呼道，脸色顿时亮了。她转向斯科特，“这太好了！”艾米一度以为她姐姐会忍不住抱住他的脖子，但她似乎及时克制住了自己。“太感谢你为我们做的这番安排了。”她对斯科特说。

“你要感谢艾米才对，”斯科特微笑着说，“我只是把这个想法告诉了丽莎，是你的妹妹说动她的。但总算成功了，我实在很高兴。” 他热情地说。一瞬间，他们的眼神交会了，卢立刻转开，脸有点儿泛红。

玛尔尼用肘部推了推艾米，咧嘴笑了。

检查完珀加索斯后，斯科特离开了。他的车一拐过第一个路口时，玛尔尼就再也无法控制自己，她抓住卢的手臂，“卢！”她喊道，“那个家伙喜欢你！”

卢看起来十分吃惊，“什么？你说斯科特？”

“是啊！否则还有谁？”玛尔尼开心地咧嘴直乐，“卢，他太棒了！”她摇了摇头，“我真不敢相信你居然瞒着我！”

卢似乎不知道该说什么好，双颊绯红。“我——我不认为有什么好说的。”她结结巴巴地说。

“噢，好啦，卢！”玛尔尼喊道，双手往空中一挥，“你现在是在和我说话。这再明显不过了！他在车上每句话都离不开你，是不是，艾米？”

艾米把头点得像小鸡啄米似的，“是的，他不停地问起卡尔，问你是不是还和他见面。”

“天哪，当我们说你已经和他一刀两断的时候，你不知道他有多开心！”玛尔尼说着冲卢咧嘴笑，“你不会是想告诉我，你对他没意思吧。我刚才都瞧见了，你望着他的眼睛笑得那么甜。”她模仿卢的声音，“谢谢你，斯科特。噢，你真是太棒了，斯科特！”

卢扑哧一声笑出声来，“我才没有那样肉麻！”

“你还嫌不够呢！”玛尔尼逗笑道，“噢，斯科特，我真不知道没有你我们该怎么办！”

卢立刻用手捂住脸。“好了！好了！”她喊道，“也许我真的喜欢他。”她望向艾米和玛尔尼，碧蓝的双眸目光灼灼，“你们真的觉得他也喜欢我？”

玛尔尼敲了敲自己的鼻子，“相信玛尔尼，准没错。”

第六章

第二天早上，艾米一醒来就匆匆跑去看珀加索斯，它和昨天看上去差不多。“好小伙儿，”她喃喃道，开始查看它的伤口。伤口在晚上有点儿渗血，她取了些热水，小心翼翼地擦掉它身上发干的血迹，给它上了些合生花药膏，加快伤口愈合。

“现在吃点儿东西吧，”她说，“你得补充体力。”

看着她穿过院子朝饲料室走去，其他马匹都开始兴奋地轻声嘶鸣。“稍等一分钟。”她对它们说。此时此刻，珀加索斯需要她全部的关心。

她切了三个苹果，加了少量糠麸和大麦粒，掺了些甜菜汁和一勺子糖蜜在桶里搅拌，然后匆匆赶到珀加索斯的马厩。它无精打采地盯着食物，没有想吃的意思，于是她抓了一把递给它。它的嘴唇在她的掌心舔过，叼起一片苹果和一些糠麸。

“好小伙儿。”艾米表扬道。她又喂它吃了一点，接着又喂了一点。二十分钟后，它快吃完桶里的所有食物了。艾米感到更有希望了，拍了拍它，去喂其他马匹了。

就在她要给水桶加水的时候，泰来了。“早上好！”他边打招呼边下车。

“你怎么来了？”艾米吃惊地问道。因为今天是周日，泰可以休息了。

“我想你们也许需要人手帮忙粉刷，”他说着走到水龙头边，“我跟卢说过，我会来帮忙。”

昨天发生了许多事，艾米都忘记今天要粉刷和修缮赫特兰德马场的事了。

“你忘了，对不对？”泰望着她的脸说道。

“有点儿，”她承认，“但发生了许多事。”她突然意识到泰还不知道昨天发生的事情。她一边给水桶加满水，一边把珀加索斯摔倒的事和丽莎·斯蒂尔曼以及诺言的事都告诉了他。能找个人聊聊天可以放松身心。泰很好——总是很懂她。

她一说完，泰就帮她把水桶提到一个个马厩里，然后回房子去问卢的计划。卢和玛尔尼在厨房里洗早餐碗筷。

“那么，你想让我们怎么做？”艾米边问边打开饼干罐，先递给泰，然后自己拿了一块。

“我想如果你们俩能去马厩里，把所有的马都牵出去，我就去拿油漆和刷子来。”卢说。

“我也去帮忙牵马。”玛尔尼主动提出。

卢点了点头，“等我回来，我们就可以粉刷马厩门，然后把马具和地毯室清理一番。”

“如果你这里有木材，我可以做几个新的存储箱来装地毯、梳洗工具和一些小马具。”泰说，“这样就能把里面的东西整理出来。”

“这个主意太好了，”卢说，“那我去买些新饲料桶和干草兜吧。这些东西既不贵，又能给客户留下一个更好的印象。”

“弄几个吊篮怎么样？”玛尔尼说，“也许两个就够了，在前排牲口棚两边各挂一个。这东西哪怕是用便宜的树枝都能做得很漂亮。”

艾米开始兴奋起来，她原本以为她不想做任何改变，但所有这些想法能让赫特兰德马场大为改观。“我去给苏拉娅和马特打电话，”她说，“他们肯定愿意过来帮忙。我们把院子好好打扫一番，把所有的干草叉和扫帚都收拾好。这里将会变得很漂亮！”

午餐时间到了，赫特兰德马场一片繁忙。

艾米和苏拉娅正忙着把马厩门刷白，卢和马特则用深棕色的杂酚油，粉刷两排牲口棚里的木头。马具室收拾打扫了，泰忙着把扔在地上的刷马时穿的靴子、马厩里用的绑带、马尾保护套等一大摊杂物，全都装进大木箱。玛尔

尼将两个吊篮里装满了红色和黄色的花儿，把梳洗马的工具都清洁整理了，清洗了毛刷，将金属马梳里卡住的旧毛发拔掉了。

艾米在她粉刷的马厩门上刷下最后一下，往后站了站，欣赏着自己的杰作，“又刷完了一扇！”

“大为改观啊，”苏拉娅说着放下了刷子，看着艾米，“再怎么夸你都不为过！”

艾米咧嘴笑了，她开始粉刷时很仔细，但很快就觉得无聊，开始乱涂乱抹。她的牛仔裤和T恤上都沾满了白油漆，她肯定自己的头发上也有。

“洗不掉的，你知道吗？”苏拉娅指出。

“管它呢，”艾米耸耸肩，“反正这条牛仔裤也旧了。”

苏拉娅摇摇头，拿起刷子，去完成正在粉刷的那扇门的收尾工作。“菲尔德怎么样？”她对马匹像艾米一样痴迷，知道丽莎·斯蒂尔曼这个人，也知道她的阿拉伯马获奖无数。

“很气派。”艾米说，她告诉苏拉娅那里的马厩伙计都穿着绿色的制服，制服上有种马场的标志，那里的马很漂亮，院子一尘不染。

“丽莎·斯蒂尔曼会亲自送马过来吗？”苏拉娅问。

“她没说。”艾米说。如果她亲自来，看到赫特兰德马场不知道会怎么想。说好诺言四点左右到的，希望到时候院子已经整理好了。

“那匹马是因为具有攻击性才被送到这里来的吗？”苏拉娅说。

“只在有人想骑它的时候，”艾米解释道，“我想它过去肯定受到了什么惊吓。它看起来不像是天生具有攻击性的马。”她看到苏拉娅的那扇门就要粉刷完毕了。“我们去地毯室吧，那里有一大堆的东西需要整理。”

四点了，油漆快干了，地毯室整理完毕，马具也收拾得很整齐。马具室的后墙边上放着一排新箱子，马笼头整齐地挂在挂钩上，缰绳卷得紧紧的，没有缠在一起。还有几件事要做——马粪堆需要清理，饲料室还没有打扫和清理蜘蛛网。但总的来说，有了巨大的改观。

艾米和其他人站在农舍边喝可乐，一边欣赏着和乌木交相辉映的白得发亮的马厩门，吊篮里装满了花，和唯一一次没有散落的干草和麦秸的院子。

“我们今后要保持这个样子。”卢如释重负地叹了一口气说。

“有艾米在，希望就很渺茫！”马特打趣说。

艾米打了他一下，“嘿！”

有车声从车道上传来。他们全都转身，看到一辆豪华的拖车朝他们开来，车上有绿紫相间的条纹。“肯定是诺言！”艾米说。

拖车正好停在他们面前，门开了，从里面走出一个高个儿的金发男孩。“嘿！”他热情地打招呼，看到这么一大群人恭候他的大驾，顿时有点儿吃惊。

“嗨！”艾米说。她看到只有这个男孩来不免有点儿失望。他们忙了一整天，要是丽莎·斯蒂尔曼亲自来看看赫特兰德马场该有多好。她上前一步。“我是艾米。”

男孩笑了。“很高兴见到你，艾米。”他说着伸出了手，“我是本·斯蒂尔曼。我是替我姨妈送诺言过来的。”

怪不得，他看起来有点儿眼熟！艾米握了握他的手，给大家逐个做了介绍。“我们一直在刷油漆。”她突然意识到自己的身上有多脏，赶紧解释道。

“我猜到了，”本咧嘴一笑说，朝拖车走去，“我可以在这里放出诺言吗？”

艾米点了点头，“行，放出来吧。”

“需要帮忙吗？”泰主动提出。

“谢谢。”本回答道。

“他很帅！”当本和泰绕过拖车去解斜板时，苏拉娅对艾米轻声说。

“我也这么想。”艾米说，看着本，略感吃惊。

“非常帅！”本走进拖车时，苏拉娅咯咯地笑道。

一阵马蹄声传来，本牵着诺言走出了拖车。艾米屏住呼吸，关于本的私心杂念全都消失了。

那匹母马像个芭蕾舞演员一样跳跃着走下斜板。它拱着脖子，金色皮毛闪闪发亮，乳白色的尾巴像瀑布一样飘荡在身后。它一走到地上就停住了，闷哼了一声，鼓起鼻翼，柔和的黑眼珠瞪得大大的，吃惊地四处张望。

“它太漂亮了！”艾米忍不住吸气。

她朝泰望去，想看他的反应。他正充满赞许地点头呢。

这匹母马大声嘶鸣，一甩头，把后臀转了过来。“乖，”本安抚道，拍了拍它的脖子。他转向艾米，“要把它放在哪里？”

“那边。”艾米说着在前面带路，朝前排牲口棚的一个空马厩走去。诺言在本的身后跳跃。

“兴致很高啊。”泰评论道。

“大部分阿拉伯马都这样，”本说着松开了缰绳，“只要你不拿马鞍或马笼头靠近它就没事。”

诺言从马厩门往外看。艾米抚摸着它的鼻子，欣赏它那张凹下去的俊容。

“我希望你们能治好它，”本说，“你们也许是它最后的机会了。”

看到诺言安顿好后，本离开了。泰准备回家，他主动提出送苏拉娅和马特。

“谢谢你们的帮助！”他们全都上了泰的车后，艾米喊道，“明天见。”

“好吧，我要好好泡个澡，换下衣服。”玛尔尼看着她那身脏兮兮的衣服说。

“我也是，”卢说。她看着艾米突然想起了什么，“需不需要人帮忙喂马？”

“不，我来就行了。”艾米说。泰在下午抽空装好了干草兜，清理了马床。

“我去准备下晚餐。”卢说，“一起来吧，玛尔尼。”

她们走进房子，艾米朝院子走去，享受此刻的静谧。今天忙了一整天。她停下来检查诺言。这匹母马正站在马厩后面，在网兜里吃草，听到艾米的脚步声，它扭头看。

“嘿，小丫头！”艾米说，走进了马厩，诺言看了她一会儿，继续吃草去了。

艾米往后站，研究着这匹母马。妈妈一直认为看一匹马的脸就能知道它的性格。艾米看着这匹母马的眼睛，又大、又柔和，略微呈三角形——若有所思的眼神，非常聪慧。

实际上，艾米想，诺言身上的一切，无不凸显出智慧。她的视线掠过诺言精致修长的鼻翼，漂亮的耳朵和凹进去的脸，和驼鹿一样的小鼻子，所有这些特征都表明这匹马机智、敏感又骄傲，骑上去肯定棒极了。但有一点可以确定，它看上去绝非天生具有攻击性。

它的这种性格不应该做出这种举动，艾米想，它的攻击性肯定是恐惧造成的。如果一匹马受了惊吓，它只有三种选择：逃跑、不动或反抗。看着诺言漂亮的脑袋，它的每一道线条都折射出骄傲和自我意识，不难理解它为什么会选择反抗。

“嗯，你没必要和我斗，”她说着拍了拍这匹母马的肩膀，“我不会伤害你或恐吓你的。”

艾米离开马厩，每次面对一匹新马的挑战，她都会感到一丝兴奋。她会让诺言接受被人骑，她会让所有人都看看赫特兰德马场能像从前一样经营下去，救治被世界上其他地方放弃的马。

艾米突然感到很乐观，她往饲料室走去，开始拌饲料。也许情况最后会好起来，她边往桶里的谷物中加一把浸泡好的甜菜浆边想。院子看起来棒极了，如果她治好了诺言，那丽莎·斯蒂尔曼将会给赫特兰德马场带来更多客户，她和卢相处得也很融洽。是的，生活终于有了起色。

艾米将木桶堆起来，突然想起了珀加索斯。她一想起那匹灰色的老马，刚刚好起来的情绪又沉下去了。

她喂好了其他马，提着珀加索斯的饮料桶，朝它的马厩走去。它正安静地站在那里，低着头，眼神暗淡无光。

“嘿，小伙子！”她说，朝门内望去。

听到她的声音，珀加索斯微微抬起头，“我给你送晚餐来了。”她说着走进了马厩。

珀加索斯看着拎进来的饮料桶，意性阑珊地用嘴唇推了推木桶的金属柄，又把脑袋垂到了麦秸上。

“来吧，开饭啦！”艾米敦促道，抓起一把饲料放在它的鼻子边。

珀加索斯叹了口气，嘴唇挪向她的手，吃了点谷子。艾米一把一把慢慢喂它吃。珀加索斯无精打采地吃着，好像吃更多只为让她高兴，而不是因为饥饿。

艾米安慰自己，它好歹吃了点东西。

她吻了一下珀加索斯的额头，希望它能康复，绝望地在脑中思索着自己还能做些什么。

喂完了最后一把饲料，艾米在它的头和脖子上打T字形圈圈给它按摩。珀加索斯将鼻口放在窗边的食槽上，双眼微闭。

“你喜欢这样，对不对？”艾米喃喃道。她想起过去妈妈常常站在这个地方，以同样的方式给珀加索斯按摩，她艰难地吞咽了一下。透过马厩窗户，她看到夜色渐浓，她一边忙活一边想着她走出门，看妈妈施展魔法的一幕幕。

几分钟过去了，她的手指移到了珀加索斯的脖子上，她感到自己放松了。随着马厩里的光线渐渐变暗，就好像世界的其他一切都溜走了，只留下她和珀加索斯，就像这里曾经一度只有妈妈和珀加索斯一样。在充满甜味的马厩里，过去和现在交融在了一起。

突然，珀加索斯绷紧了身上的每一块肌肉。它猛地抬起头，瞪着窗外。

“怎么了？”艾米说，顺着它的视线往暮色中望去。

她倒抽了一口冷气，心跳停止了。

那边——一个人沿着院子走过来，她双手插在马厩外套口袋里——是妈妈。

第七章

“妈妈！”艾米小声喊道，当这个身影穿过黄昏暮色朝她走来时，她的内心凝滞了，她不假思索地冲到马厩门边。

这可能吗?

她颤抖的手指用力向后拉开门闩，跌跌撞撞地往外跑。

“艾米?”

艾米顿时刹住了脚步，感觉像是被人当头浇了一桶冷水。是玛尔尼匆匆朝她走来。她的头发向后梳起，穿着玛丽恩的旧外套。

“你没事吧？”这个年纪稍长的女孩问道，吃惊地看着艾米一脸震惊。她顺着艾米的视线低头看身上的外套。“是这件外套吗？卢说借给我穿没关系。”

艾米张了张嘴，但发不出声来。

玛尔尼迅速走到她的身旁。“如果它让你不安，我就脱下来。真的，非常非常抱歉。”

“我——我还以为你是妈妈。”艾米情不自禁地脱口而出。她凝视着玛尔尼，热泪盈满了眼眶。那个瞬间，她实际上希望……相信……她开始克制不住颤抖起来。

玛尔尼用双臂抱住她。“嘿，没事的。”她安慰道。

“在暮色中你看起来真像她，”艾米啜泣道，被失望和失落吞没了，“我——我真的认为……”

就在这时，传来一声低鸣。艾米猛转身。珀加索斯走到了马厩门边，它的耳朵竖起，正痴情地望着玛尔尼，上下甩着头。

“珀加索斯？”艾米说，看到它突然充满活力，使劲蹭着门，她吃惊得一时忘记了自己的伤痛。

“它不会也把我误当成了你妈妈吧？”玛尔尼说。

艾米恍然大悟，顿时睁大了眼睛。“是外套！”她喊道，“外套上肯定有妈妈的气味。”

珀加索斯又开始轻声嘶鸣。

玛尔尼慢慢朝珀加索斯的马厩走去。珀加索斯低下头，用鼻口在外套上嗅，急切地大口吸气。玛尔尼伸出手，抚摸着它的脸。“我想你是对的，”她对艾米说，“它肯定还记得。”

“它看起来又开心起来了。”艾米惊讶地说。这是真的。珀加索斯蹭着那件外套，眼神突然平静下来。艾米脸上的泪水干了。突然，她不再介意玛尔尼穿着妈妈的外套，只要珀加索斯能恢复健康，什么都没有关系。

那天晚上，躺在床上，艾米久久不能入眠。她眼前不断浮现出妈妈穿过院子的样子和珀加索斯的反应。她信心满满。当她和玛尔尼离开珀加索斯的马厩时，它看起来精神多了。也许这就是她一直极度盼望的突破。也许现在它会正常吃东西，会好起来了。

第二天早上，她匆匆走出门去喂马。尽管珀加索斯的眼神看起来更明亮了，但它还是不愿意吃东西。

她的心猛地一沉。“来吧，小伙子。”她抓着一把饲料鼓励它，然而它只是用嘴唇蹭了蹭谷子，将谷物泼洒到麦秸里，没有吃。

艾米最后不得不放弃。时间一点点过去，她得准备去上学了。但她依然希望它能有所改变。

“你今天能留意下珀加索斯吗？”她在赶校车前问泰，“我想它也许会吃东西的。”

“当然，”泰点了点头，“上学愉快。”

“好，但这怎么可能呢，”艾米拉长了脸回答道，她把书包甩到肩上，“回头见。”

艾米踏上楼梯去上第一节课，碰到迎面而来的艾什莉。艾米不想理会她，但艾什莉却拦住了她的去路，她光滑的银灰色头发垂到肩上。

“大家都在说你那里有丽莎·斯蒂尔曼的一匹马，这是怎么回事？”她抱起双臂质问道，“这是真的吗？”

“当然是真的，”艾米抬起下巴回答道，“这和你有什么关系？”

艾什莉的绿色眼眸中流露出怀疑。“丽莎·斯蒂尔曼肯定是疯了。她怎么会把马送去赫特兰德马场？她的马那么珍贵！”

“她听说我们能真正治好马，”艾米被艾什莉的傲慢态度激怒了，厉声说道，“我们显然能比当初诺言送到你们那里去要做得好。”

艾什莉眉毛上扬，“这么说是那匹帕洛米诺马咯？”她肯定是从艾米的神情中看出她猜中了，她妆容完美的脸突然笑成了一朵花，“好吧，”她点着头说，“我现在明白了。”

“你这话什么意思？”艾米质问道。

“嗯，”艾什莉回答道，“看样子，丽莎·斯蒂尔曼送到你那里去的并不是什么名贵好马，人人都知道那匹帕洛米诺马无可救药，它很凶猛。妈妈在它身上用尽了方法，它都不肯屈服，疯狂反抗，像它这样的马，只能一枪解决了它。”

“根本不是这样的！”艾米愤怒地喊道。

“说的好像你有办法治好它似的。”

“我当然能！”

艾什莉嘲讽地哈哈大笑，“做梦吧，艾米！”

内心的怒火燃烧到极致，艾米从艾什莉身边挤了过去。

“你绝对做不到，”艾什莉在她的身后喊道，声音很开心，“你什么马都治不好，更别说那样一匹马了。”

艾米沿着楼梯往上走，决心不再听艾什莉的话。她说的不是真的。她会治好诺言的，她从来没有这么坚定过。

当天下午，艾米一到家，就去找泰了，他正在马具室清理马鞍。“珀加索斯今天怎么样？”她问道。

“没有什么实质性的改变，”泰回答道，又奇怪地看着她，“是什么让你觉得它会有起色？”

艾米把昨天晚上外套的那件事告诉了他。“我还以为经过这件事，它也许会重新开始吃东西，”她叹了口气，“但显然不是这样。”

他们沉默了一两分钟。“你今天下午打算训练诺言吗？”泰问道。

艾米点了点头。“我想我会先跟它联合，然后看看它对马鞍和马笼头的反应。”她说。联合是用来和马建立信任的技巧，玛丽恩总是用它做治疗一匹马的第一步，她把这个技巧传授给了艾米。

“你认为呢？我肯定它这么桀骜不驯，是因为它受到了惊吓。如果我和它联合，它很有可能会对我产生足够的信任，允许我给它戴上马具。”

“听起来不错。如果你需要，我会过去帮你一把。”泰主动提出。

“太好了。”艾米感激地微笑道。

二十分钟后，艾米牵着诺言走进了院子顶头边的训练场。这匹母马急切地走在它的身边，步子又短又快，眼睛转来转去地打量着不熟悉的环境。

泰拿着马鞍和马笼头，保持一定距离地跟在他们的后面。艾米关上大门，解开了诺言马笼头上的长绳。突如其来的自由让这匹阿拉伯马闪开了，它小跑了几步，距离艾米几米停了下来，嗅了嗅沙地。

艾米卷起手中的长绳，嗒了嗒舌头，朝这匹母马的后背挥去。诺言疯狂地怒吼，高抬头，一跃而起，开始慢跑。艾米迅速挪到跑场中央，将肩膀对准这匹母马，将长绳向这匹母马的臀部抛去，她敦促它继续慢跑。她知道马的本能是将人视为捕食者，只要有空间，它们就会跑开。通过联合，诺言明白艾米是个能理解它身体语言和值得信任的人。

“诺言”绕着训练场跑了几分钟后，艾米改变了位置，她轻轻站在这匹马的前面。诺言突然停住了，猛转身，朝反方向跑去。艾米的眼睛锁定在这匹母马身上。很快她就看到这匹帕洛米诺马开始略微低下了头，慢跑变得更顺畅，步子变得更有节奏，肌肉也放松了。

艾米继续敦促它前进，时刻留意这匹母马将要通过肢体语言发出的第一个交流信号。又跑了五六圈，诺言的内耳不再移动，略微指向了艾米，它发出了第一个信号，这个信号表示它想慢下来，不会再那么用力奔跑。但此刻艾米让它继续走，她在留意下一个信号。对于大多数的马匹来说，这要跑几圈，但诺言的头几乎是立即就侧过来了，朝跑场中间和艾米靠近，走了几步，它低下了头和脖子，张开了嘴，看起来像是在咀嚼什么，这表明它想停下来。

艾米迅速卷起绳子，垂下眼睛，不再去看诺言，转身站在那里等待着，尽量让自己不要紧张。听到身后柔和的马蹄声和呼吸声，她停了下来，突然感到诺言的鼻子在她的肩膀上蹭着，温暖的呼吸喷在脖颈处。联合的时刻到了！

艾米慢慢转身，继续低垂双目，因为只有捕食者才会瞪着眼，艾米揉了揉这匹帕洛米诺马的两眼之间，然后慢慢走开，她穿过训练场，凝神倾听。诺言会跟上她吗？如果没有，那她将不得不让它回去重来一次。但这完全没有必要，瞬间的犹豫后，这匹母马竟然跟上了她。艾米转圈走，这匹母马跟着她的每一步，跟着她改变方向。艾米停住了，再次揉搓着诺言的头。

“好丫头。”艾米赞扬道。诺言用鼻子轻轻蹭着她，将鼻口抬到艾米的脸上，探寻地喷着鼻息。艾米微笑着揉搓着它金黄的脖子，然后转向正站在门口的泰，“它反应很灵敏。”

“它非常敏感，”泰说，“似乎立即就明白了你在和它交流。”

“我也是这么想的。”艾米说。

他们会意地相视一笑，艾米感到一股幸福的暖流流遍了全身。

转回到诺言身边，艾米开始计划下一个阶段。她用手抚摸着这匹母马的脖子、马肩隆、后背、臀部和肋腹——马儿们不轻易让一个捕食者靠近的所有身体的重要区域。诺言站在那里一动不动。

艾米感到信心满满，她迅速将长绳放到诺言的马笼头上，喊泰把马具拿到训练场来。现在诺言已经信任她，她很肯定这匹母马会接受马鞍和马笼头。

但当她走上前，从泰的手里接过马鞍时，诺言突然发狂了，它身子往后退，后腿直立，前腿抬起，前蹄在空中愤怒地舞动。艾米及时往后闪，将马鞍扔到地上，飞快地走到这匹母马的肩膀处，它的前蹄一落地，她就往它的头边靠去。“放松，”她说，“乖。”诺言眼神灼灼，不让艾米抓它的马笼头，但接着就安静下来了。

艾米回头看到泰动作迅速地将马鞍拿开了，她感到如释重负。泰把马具拿到大门边，又走回来了。“这实在太出人意料。”他上气不接下气地说。

艾米点了点头，感到迷惑不解。她确信联合进展得很好，诺言似乎并不畏惧她，那为什么看到马鞍会激起它这样猛烈的反应?

“我再让它跑几圈。”她说着解开了长绳。

泰走到一旁，艾米再次敦促诺言在跑场中慢跑。这次联合花的时间更短。两圈不到，诺言就开始舔舌，低头，请求停下。艾米一卷起长绳，转过肩膀，诺言就加入了她，信任地跟着她在跑场上走。

泰将马鞍拿过来了。诺言立即后腿直立，前腿腾空，奋力踢腿，泰匆匆后退。

“我真不明白。”当诺言再次安静地站在她身边时，艾米说。

“也许是身体问题，”泰思考道，空手走到它的身边，诺言朝他低着头，“也许马鞍弄痛了它。”

艾米摇了摇头。“斯科特说给它做过全面检查，没查出什么，肯定是恐惧造成的。”她皱起眉头，“那我们现在怎么办？”

“我们可以在它的马厩里放一个旧马鞍试试，”泰建议道，“这样一来，它时时都能看着马鞍，习惯它的存在。”

“好主意，”艾米说，飞快点头，“如果它能容忍马鞍在自己的马厩里放上一晚，我们明天就再试一试。”

“我们还可以往它的饲料里添加一点儿缬草粉，”泰说，“这有助于让它放松和平静。”

艾米开始牵着诺言往门口走去。“真够滑稽的，”她看着这匹母马机灵的脑袋，“它看起来不像是胆小的类型，应该对任何事情都很有信心。”

“虽然逻辑上讲是这样，”泰评论道，“但马也会患上不合理的恐惧症，就像人一样。”

艾米点了点头，觉得泰是对的，但这匹母马后腿直立的样子还是让她很烦恼。她在脑中重放那一幕。当这匹母马攻击时，艾米捕捉到了它的眼神，里面并无恐惧。

艾米驱逐了这个念头。当然是恐惧——恐惧是所有行为问题的根源，妈妈一直都这么说，还说绝不要催促马。艾米知道他们对诺言要有耐心，要慢慢训练诺言，它最终会克服自己的恐惧。

夜晚来临，回屋之前，艾米将一个旧马鞍放在这匹帕洛米诺马的马厩里。当她抱着马鞍走进来时，诺言躲开了，它贴平了耳朵，把头仰向空中。

“没关系，”艾米说着把马鞍放在地板上，“我不会把它套在你身上。”她在马厩外等着，看诺言要多久才会从马厩后面走过来。

令她吃惊的是，还没栓上门，诺言就走到马鞍旁边，好奇地嗅着它，看来诺言对它没什么兴趣，转向干草兜，继续用力咀嚼它的干草，似乎根本不在乎放在那里的马鞍。

真是奇怪，艾米想。通常来说，一匹马要花很长时间才能适应让它畏惧的东西。除了起初看到艾米拿着马鞍有点儿不安，诺言根本没有表现出一丝恐惧，她猜想缬草也许起作用了，但它能这么快就带来这么大的改变吗？这不正常。艾米困惑地走进了农舍。

卢和玛尔尼正坐在餐桌旁，仔细谈论着一张纸上的数据，面色严峻。

“嗨！”艾米说。

“嗨！”卢简短回了一声。

玛尔尼飞快朝艾米笑了笑，接着又去看文件，继续讨论去了。“肯定能想出什么办法。”

“你们在谈论什么？”艾米从她们的肩膀上方望过去，好奇地问。

卢把乱七八糟的纸张整理好，“没什么。”

艾米看看这个又看看那个，“发生什么事了？”

玛尔尼叹息道，“你最好告诉她，卢。”

“好吧，”卢飞快地对艾米说，“是些经济难题。”

“噢。”艾米说，得知并非什么严重的问题，她一阵轻松。她们一直都摆脱不了经济难题。她拿起饼干罐，拿出几块饼干，转身发现卢正望着她。

“你一点儿都不担心，对不对？”卢慢吞吞地说。

艾米耸了耸肩，“我们一直都有经济问题。我们会克服的，我们一直都是这样。”

“艾米！认真点！”卢的脸上露出明显的沮丧。玛尔尼把一只手放在自己朋友的胳膊上，但被推开了，“情况从来没有这么糟糕过！我们付不起账，没有信用卡，没有客户！”

“我们有诺言。”艾米反驳道。

“就这么一匹马？”卢摇摇头，“艾米！我们不能靠一匹代养马的费用来经营这个地方！”

“那你想说什么？”艾米质问道，“我们就这么放弃吗？”

卢的反应很迅速，“我们也许只能这样。”

她的话悬在半空中。

“什么？”艾米像从高空跌落一般。

卢双手抱头。“我不想告诉你的，”她绝望地说，“我知道一直以来你有多担心珀加索斯，得到诺言你有多开心，但，事实上，除非我们立即得到新客户，否则赫特兰德马场就要关门大吉了。”

“不！”艾米结结巴巴地说。

然后是可怕的沉默。

玛尔尼看着她，“卢和我一直在想办法，研究这些数据，研究不动产，但她说得对，艾米，情况很不好。”

艾米恐惧地后退一步，“这不是真的。宣传手册和广告呢？”

“到目前为止，还没有给我们带来任何新客户。”卢站起来，拉住了她的手，“我们只能期盼情况赶紧好起来，否则我们真的只能关掉这个地方了。”

第八章

那天晚上，艾米几乎一宿没合眼。她在床上辗转反侧，想着卢说的话。

赫特兰德马场不能关门！她们肯定能想出什么办法让它继续经营下去。五点半，她起床了，穿上牛仔服走出屋外。

晨曦微薄而暗淡，唯一的声音是鸟儿在树上歌唱。艾米满腹愁绪，拿起一个马鞍走到环形训练场，接着去拿诺言的马笼头。她唯一想出的计划就是尽快治好诺言，那样丽莎·斯蒂尔曼就能再给她们多送几匹马。

艾米牵着这匹帕洛米诺马走到跑场，再次把联合的过程过了一遍。旭日东升，天光大亮，她试图把马鞍放在这匹帕洛米诺马的马背上，但她刚从大门上取下马鞍，这匹母马就后腿直立，前蹄腾空反抗。最终艾米放弃了，把诺言牵回了马厩。

把马笼头送回到马具室前，艾米从珀加索斯的马厩门往里看，它把鼻口搁在麦秸上，呼吸粗重。“珀加索斯？”她吃惊地说。

珀加索斯摇摇晃晃地站起身，肋骨凸出，呼吸时两边空空的腹侧大幅度起伏。艾米走进它的马厩检查了一番，它的呼吸似乎稳定了些，但情况依然不好。她一只手抱住它的后背，脸贴在它隆起的肩膀上，眼泪忍不住流了出来。她还能怎么办？

“艾米？”

她吓了一跳，猛地转身，泰来了，正靠在半截门上。“你没事吧？”他关切地问。

“没事，”她迅速答道，并立刻擦掉了眼泪。“我很好。”但当她看到泰担忧的神情时，一阵涩意在喉咙里翻腾。“我不知道该怎么办，泰。”她无助地倾诉道，“我一切都试过了，但没有一样起作用。”她绝望地看着他，“我还能尝试什么？”

“我不知道。”泰说。

“肯定有什么办法！”艾米沮丧地说，“换做妈妈肯定能想出办法！”

她看到泰下巴上的肌肉缩紧了。

“要是她在这里就好了！”艾米喊道。

泰点了点头。“是啊，”他静静地说，叹息了一声，直起了肩膀，“听我说，你留在这里，我去准备饲料。”

艾米目送他离去，将脸埋在珀加索斯的马鬃里，艰难地忍住眼泪，不让它掉下来。

当艾米走在车道上去赶校车时，脑子里一片糨糊，思绪繁杂——珀加索斯、诺言、赫特兰德马场的未来。她走过珀加索斯放牧的原野，那里此刻空荡荡的，她被痛苦吞噬了。

在车上，她一言不发。苏拉娅和马特似乎感觉到了她不想说话，没有去招惹她，好几次，她都看到他们在交换焦灼的眼神。

“稍后见，”下车时，马特迅速说，“我——我得去查看一下足球赛程表。”他飞快扫了苏拉娅一眼，匆匆走开了。

“发生什么事了？”当她们朝储物柜走去时，苏拉娅问。

艾米没有回答。她不知道该说什么，从何说起。

“是关于珀加索斯吗？”苏拉娅问。

“是的。嗯，部分是，”艾米把书包抱在胸前，“它病得更重了。”

“噢，艾米，听到这个消息我很难过。”苏拉娅说，双眼充满同情。

“我无论怎么努力，似乎都没有用，”艾米说，“我好像治不了它了。”

“好像发生这种事很意外似的。”艾什莉拖长声音说。

艾米猛转身。艾什莉和谢丽琳正站在她的身后。

“看来治马高手不行了？”艾什莉嘲弄地说，一双绿眼睛在艾米的脸上搜寻，将艾米的不安尽收眼底。谢丽琳得意地笑道，“一个治疗师连自己的马都治不好！真是新鲜事。”

“够了，艾什莉。”苏拉娅厉声说，声音非同一般的犀利。她把手搭在艾米的胳膊上，“来吧，艾米，我们走。”

艾米筋疲力尽，没心思去反诘艾什莉的奚落，走开了。

“你什么时候才会面对现实，艾米？”艾什莉在她的背后叫道，“没有了，你们的妈妈，你和你姐姐是不可能把赫特兰德马场继续经营下去的。”

艾米身子一僵，正打算还击，但突然意识到艾什莉的话也许是对的。

“走吧！”苏拉娅轻声劝道，拉着她的胳膊。

艾米麻木地跟着苏拉娅。有生以来第一次，她怀疑自己和自己的能力。

也许没有了妈妈，我不足以继续经营赫特兰德马场。毕竟，我在诺言身上没有取得任何实质性的进展，而珀加索斯的情况也更糟糕了。

她又难受起来。会被艾什莉说中吗？

艾米放学回到家，感到格外压抑。她沿着长长的车道往前走，心没有像往常一样因为回家而兴奋地跳跃，相反，她一想到等待她的许多问题，心为之一沉。

但令她吃惊的是，她一到家，后门就猛地开了。“艾米！”卢双眼发亮地喊道，“我们一直在等你回来！玛尔尼和我想出了一个好主意！”

“什么主意？”艾米追问道，跟着她走进了厨房。

玛尔尼正站在水槽边。“为赫特兰德马场赢得新客户的方法。”她兴奋得双颊发光。

艾米顿时充满希望，“是什么？”

“我们想组织一天开放日，”卢宣布道，“不是那种光邀请人们过来参观的，而是向人们展示我们是怎么做的。你可以表演和马的联合，泰能解说我们使用的治疗方法——你知道的，就是芳香疗法、草药和——”

“我不干！”艾米喊道。

卢睁大眼睛瞪着她，“为什么不？这肯定能帮我们带来客户。大部分人都没有见过联合——这是神奇的体验！”

艾米绝望地摇头。那天下午听过艾什莉的那番话后，她最不想的就是让人到赫特兰德马场来。如果他们问起诺言，她该怎么回答？如果他们看到珀加索斯，他们会怎么想？艾什莉的话不停地在她的头脑中回响。谁会愿意把马送到一个连自己的马都无法救治的地方？

“但是艾米，”卢吃惊地看着她说，“你难道还没看出来？这能解决我们的问题。”

“卢说得对，艾米，”玛尔尼说，“我敢打赌，一旦人们见过你怎么工作，他们就会真的愿意把问题马送到这里来。”

“总之我不干。”艾米坚定地说。

“但——”卢开始了。

“不。”艾米说。

卢的怒火突然腾地点着了。“噢，看在上帝的份上，艾米，成熟点吧！”她愤怒地喊道，双拳砰地砸在餐桌上，“你难道还没有意识到这是我们最后的机会？你不能就这么拒绝！”

“我不能这么做，卢！”艾米大声回敬道，“请别叫我这么做了！”她一把扔掉书包，跑出了房间。

她一直跑，跑到珀加索斯的马厩。“噢，珀加索斯！”她啜泣着走进去，用手臂抱紧了它的脖子，“我们该怎么办？”她将脸埋在它的马鬃里，吸着它香甜的气味，暗自祈祷一切都能改变。

几分钟后，她听到身后有人轻咳了一声，“艾米？”

她转身看到玛尔尼站在门口。

珀加索斯轻声嘶叫，自从那天晚上玛尔尼穿着玛丽恩的外套后，它似乎就喜欢上了她，它伸出鼻子。“嗨，大家伙。”玛尔尼说，抚摸着它。

艾米咽下泪水。

“嗯……”玛尔尼犹豫地说，“卢有点儿生气，艾米。”

艾米没有做声。

“开放日确实是个好主意，”玛尔尼说，“你为什么不想做？”

艾米看着珀加索斯。它的肋骨凸起，银白色的皮毛稀稀落落、暗淡无光。“我们怎么能让人们到这里来，”她绝望地说，“我甚至都不能治好自己的马？”一股涩意在她的喉咙里痛苦地翻腾着。“这没有用的，”她说着拼命摇头，“我没用。”

玛尔尼吃惊地望着她。“你这么想，实在是太傻了！卢把你治好的所有马都讲给我听了——那匹设得兰群岛小马驹、尼克·哈利维尔的马、出事故的那匹马。”

“但我不是妈妈，”热泪在她的眼中涌动，艾米泣不成声，“换作是她，她一定能治好珀加索斯，一定知道怎么治疗诺言。”

玛尔尼蓝色的眼睛在艾米的脸上搜寻。“但你的妈妈有许多年的经验，你以为她在摸索过程中从来没犯过错吗？她也会犯错，也有失败的时候，但她没有被困难吓倒。”她抓住艾米的胳膊，“无论如何，你也知道，珀加索斯也许得了重病——甚至是你的妈妈都束手无策的疾病。”

艾米紧咬双唇。

“艾米，”玛尔尼柔声说，“别对自己那么苛刻，你不是你妈妈。你所能做的是做你自己，听从自己的直觉。”

“妈妈过去也这么说过，”艾米喃喃道，“她过去一直说我要相信自己的直觉。”

“那么就接受这个主意吧！”玛尔尼说，“听我说，赫特兰德马场会获得成功的，我敢肯定。但你们得按照自己的方式和自己的理由来经营它，你和卢要精诚合作。你们俩都有各自独一无二的天赋。你精通养马，而卢擅长算账和经济方面的事情。你们得找到一个妥善的方式来将你们二人的天赋相结合，这样赫特兰德马场才能兴盛。”

艾米慢慢地点了点头，深吸了一口气，“我会——我会考虑开放日。”

玛尔尼笑了，“太好了，我真的认为这很可行。”她拍了拍艾米的胳膊，“记住你妈妈说的话——相信自己的直觉。”

艾米目送她走出马厩。相信我的直觉。

“诺言！”她突然豁然开朗。她一直都只想着妈妈会怎么做，却忘记了去顺应自己的直觉。不仅如此，她也忘记了妈妈无条件的原则——聆听马的心声！

那天晚上，做完最后一点儿活儿，泰离开后，艾米牵着诺言走到环形训练场。按照之前的程序和马联合，然后从门上取下马鞍。不过，这次在诺言后腿直立，不停蹬腿时，艾米注视着它的眼睛，那里面没有恐惧。

艾米放下马鞍，飞快地拉开了诺言，跟它说话，一直牵着它走，直到它再次平静下来为止。

艾米停下来思考着。

看到马鞍慢慢靠近，诺言的双眼里充满了怒意和——艾米搜肠挖肚地寻找正确的词语——憎恶。是的，诺言看起来很憎恶。

有一会儿，艾米怔怔地望着这匹马。怎么会这样？她回想听说的关于诺言的一切。当她想起丽莎·斯蒂尔曼买下它之前诺言的生活细节，艾米突然有一种预感，她就要接近问题的根源了。

解开长绳，她松开诺言，让它在训练场隔壁的原野里自由活动。关好大门后，她匆匆穿过院子朝厨房走去。卢和玛尔尼都在楼上，这让她松了一口气。

她拿起话筒，迅速给斯科特打了个电话，她打听到了她想要的电话号码，并拨通了电话，耐心地等待着，但她依然不确定自己到底要查明什么。

有人接起了电话，一个声音听起来年约七十的老妇人回答道，“我是伊丽莎·齐提克。”话筒里传来轻快的声音。

“嗨！”艾米说，“我是赫特兰德马场马救护所的艾米·弗莱明。我这里有您养的一匹马——诺言，是一匹帕洛米诺马，我是为丽莎·斯蒂尔曼治疗它的，我能不能问您一些关于它的背景资料？”

“诺言？”齐提克夫人说，声音立即变得柔和了，“哎呀，我当然愿意了，你尽管问。”

艾米把诺言对马具的反感一一讲给她听。

“我听丽莎讲过它很叛逆，”齐提克夫人说，声音听起来很担忧，“但我从来没想到它这么坏，它在这里的时候表现堪称完美，一百万匹中挑不出一匹。丽莎有没有告诉过你，我的孙子过去常骑它？他几乎看不见东西，它对他就像小羊羔一样温柔。”

“她没提起这个。”艾米说，依然不确定自己究竟想从齐提克夫人那里打听到什么消息，但她很肯定诺言的行为问题一定和它的过去有关，“它对他好吗？”

“好得没法说，”齐提克夫人说，“我们完全信任它。它就是他的眼睛，它会带他出去又带他回来，他坐在它的光背上，只拿着一条缰绳坐在它的光背上。它是我见过的最聪明的马了。实际上，它不像是马，而像是人。”艾米听到她笑了，“我想我们也是把它当人对待的。渐渐地，不知为什么，当你想要对它做什么时，你几乎感到不得不征求它的意见。”

艾米头脑中的某些东西突然归位了。就是这样！她兴奋地用手指抓紧话筒。她确信找到了问题的根源。

“正如我所说，它是一百万匹马中也找不到一匹的，”齐提克夫人继续道，“我只是不明白为什么到了丽莎手里就出现了这些问题。在菲尔德，马儿都得到了善待——宽敞的牲口棚、许多马厩伙计、最悉心的照顾。我就是不明白到底哪里出了问题。”

艾米谢过齐提克夫人提供的信息，并承诺会把在诺言身上取得的进展打电话告诉她。放下话筒，她靠在墙上。

是的，在菲尔德，马儿无疑都得到了善待——但是是被当作马对待的。这显然和诺言过去的生活截然不同。

艾米匆匆走回原野。诺言正在渐逝的夕阳中吃草，但当艾米打开门走过来时，它伸长了脖子，精致的耳朵竖起来了。艾米揉了揉它的额头，试图想象诺言过去的样子。它的一生都被当作一个人对待，受到信任、尊重和爱，然后突然被从它熟悉的环境连根拔起，放置到一个和其他马受到同等对待的院子里。

艾米想起丽莎·斯蒂尔曼告诉她的，第一天给诺言套上马具的情况。她完全能想象得出当时的情景。马具送来了，被迅速套在诺言的背上，诺言认为这种对待很粗暴，于是抗拒，却遭到马厩伙计的毒打，于是它通过咬人来反抗，然后是进一步的惩罚。

艾米研究诺言的脑袋——自信、聪明、大胆。大部分的马经过严格的训练都会屈服，但诺言选择用攻击性行为来反抗粗暴的对待。人们越是对它施加暴力，它越是反抗得厉害。阿拉伯马是个骄傲的马种，诺言身体上的每一根线条，它脑袋上的每一条轮廓都表明它具备充分的自信。它是一匹绝不妥协的马。

“但我对你并不强硬，”艾米小声对这匹金色的马说，“你为什么要反抗我？”

想想马是怎么想的，她对自己说。她看着马鞍，从诺言的角度考虑。在它第一次踢马厩伙计后，菲尔德的人员就通过严厉的训斥和随时抽打它，以此来靠近和给它戴上马鞍，随之而来的自然是对抗。现在看到有人拿着马鞍就足以让诺言发狂。联合尽管很强大，但都不足以向诺言显示它受到了尊重和信任。不管怎么样，她得想办法打破它与马鞍的负面联系。

那我该怎么做？艾米苦苦思索。

她站了半晌，看着这匹马，突然她想起了什么。她卷起长绳放到诺言的马笼头上，抚摸着这匹母马的脖子，接着用手试探性地挪动，在这匹母马的背上用力。

诺言转身看着她。

“我可以吗？”艾米小声问。

诺言转回头，直视前方。艾米深吸了一口气，抓住它乳白色的长马鬃，翻身跨到了诺言的背上。她一坐上去身子就绷紧了，有点害怕她的推断是错误的，她等待这匹母马发威——但风平浪静。诺言站得稳稳的，一动不动。

艾米放松下来了。“走吧。”她说着双腿夹了夹，诺言朝前走去，它的身子在艾米的腿下很温暖。

艾米使用马笼头和膝盖的压力指导它绕着原野走。诺言似乎平静又开心，它耳朵竖起，大踏步走出去，反应流畅，丝毫不费力。走了几圈，艾米让这匹母马小跑，它的步子充满弹性，但艾米很放松，让自己的身体充分感受它的律动。

她抚摸着诺言的脖子，她无法抗拒奔驰的欲望——身子往前探，她敦促这匹母马慢跑起来。诺言身子往前一跃，双眼熠熠生辉。她能感受到强大的力量在诺言的肌肉里流窜，感觉它的后部在积聚能量往前冲。

“再快些！”她小声说。

随着一股强大的力量，诺言的步子拉长了。它的马鬃向后甩到了艾米的脸上，风吹出了艾米眼中的泪水。低头躬在它的脖子上，艾米沉浸在轰隆隆的马蹄声和身下这匹金黄色马的力量和速度中。

跑了很长时间，她才让诺言放慢速度，让它小跑，步行，最后停了下来。诺言蹭着艾米的肩膀，把鼻口抬到艾米的脸上，大口喘着气。自从它到赫特兰德马场来，它的眼神第一次看起来是真正开心。

“现在让我们试试马鞍吧。”艾米说着把诺言拴到栅栏上，并从训练场拿来马鞍。穿过大门往回走时，她仔细观察诺言的反应。诺言转身看，但没做出什么其他动作。艾米感到自己的心在胸腔中急剧跳动。她靠近诺言，走到它身边。

“我可以吗？”艾米小心询问道，把马鞍递给这匹母马。诺言冲着马鞍喷了喷鼻息，没有动。

艾米屏住呼吸，抬起马鞍，动作轻柔地套到这匹母马的背上。诺言依然一动不动。

艾米颤抖着手指扣紧了肚带，马鞍套上了，她拉下马蹬，没有去动马鞍，直接翻身上了马。

什么都没发生。

艾米开心地抚摸着诺言的脖子，“前进。”

绕着原野坐了几圈，艾米让诺言在大门边停下。暮色四合，但艾米乐不可支，几乎没有注意到。

诺言允许别人帮它戴上马鞍骑它了！她知道诺言仅允许她一个人给它戴马鞍和骑它是远远不够的，它还要继续努力。艾米翻身下马，抱紧了这匹母马。

难关终于突破了。

第九章

第二天早上，艾米再次早早醒来，匆匆走出了房子。如果她动作迅速，那么在上学前她还有时间再训练下诺言。她昨天晚上没有把取得的成功告诉卢和玛尔尼。她感觉太不真实，决定要再骑一次诺言，再把这个好消息告诉别人。

这匹帕洛米诺马正从马厩门上往外张望。它一看到艾米就轻声嘶鸣，双眼放光。艾米感到一阵幸福的热流从身上流过。突然她信心十足，诺言会配合的。

她拿来这匹母马的马笼头，但在回去之前，她去了珀加索斯的马厩前查看。

她的心跳停止了。

珀加索斯正侧躺着，头和脖子靠在麦秸里。有那么可怕的一刻，艾米以为它死了，但接着她看到它的腹侧在起伏。

放下马笼头，她摸索着门闩，冲进了它的马厩。“珀加索斯？”她惊叫道。

这匹大马轻轻抬起头，无力地轻嘶了一声，鼻孔发抖，然后再次倒在了麦秸上。

艾米的喉咙像是被冰冷的手指攥紧了。她站在那里，犹豫不决，接着转身朝房子跑去，“卢！赶快！”

过了几秒钟，卢跌跌撞撞地冲进厨房，迷糊地眨着眼睛，猛地推开门，“艾米，怎么了？才六点钟呢。”

“是珀加索斯！”艾米喘着粗气说着，“它倒在了马厩里，我不知道它还能不能站起来。”

卢脸上的惺忪睡意顿时全无，“我打电话给斯科特，你回去照看它，我穿好衣服就出来。”

艾米跑回珀加索斯的马厩里，它躺在那里一动不动。艾米跪倒在它的头边，它的眼睑闪动着，轻轻抬起头，把鼻口搁在她的膝盖上，轻轻呻吟。

艾米弯下身，把它那颗大脑袋抱在怀里摇晃，亲吻它的耳朵、它的眼睑、鼻孔下柔软的肌肤。她的手指不停地抚摸着它，“没事的，小伙子，”她说，“会好起来的。”

艾米不停地重复这些话，竭力想让自己相信这一切会变成真的。但在内心深处，她知道这个事实是可怕的。她已经走到了穷途末路——珀加索斯快要死了。

有奔跑的脚步声传来，玛尔尼出现在马厩门口，“卢正在给斯科特打电话。”

听到她的声音，珀加索斯抬起头，它的眼睛一瞬间似乎变得明亮了，但接着又叹了口气，把头垂到了地上。

“需要我给你拿些什么来吗？”玛尔尼问艾米。

艾米摇了摇头，泪水模糊了她的双眼。“我想没有了。”看着珀加索斯的腹侧，她看出它的呼吸变浅了。她

抚摸着它的脸颊，它半闭的眼睛目光呆滞，就好像玛丽恩死后，它内心渐渐消逝的火花终于燃尽。艾米突然看着玛尔尼。“外套！”她说。

“哪件外套？”玛尔尼突然恍然大悟地睁大了眼睛，“你是说你妈妈的那件马厩外套？”

“是的，”艾米飞快地说，“在哪里？”

“在我的房间。”

“你能去拿来吗？”艾米小声问道，“我想它也许能帮上忙。”

玛尔尼匆匆穿过院子。

艾米抚摸着珀加索斯的脑袋，“小伙子，会好起来的，你等着瞧好了。”

卢匆匆赶到马厩。“斯科特已经在路上了。”她说着跪倒在珀加索斯的身边，“嘿，小伙子。”她柔声说。

就在这时，玛尔尼拿着外套回来了，“你想让我怎么做？”

“给我吧。”艾米说着伸手去拿，珀加索斯闻到了外套的气味。它抬起头轻声嘶鸣，声音嘶哑，费了好大的劲朝外套走去。她们三个人默默无言，将眼睛锁定在它的脸上。

珀加索斯在外套上嗅了好长时间。

艾米看到它的头要倒下了，赶紧将外套折起来放在膝盖上，轻轻往下放，拼命眨眼来忍住眼泪。它蹭着那件破旧的外套时，艾米抚摸着它的脸。珀加索斯看起来高兴了一些，但它做出这番努力已经耗尽了它的力气。

它的呼吸变得更浅了，闭上了眼睛，叹了一口气，头从艾米的膝盖上滑下去，倒在了地板上。

艾米开始啜泣，“请你别死，珀加索斯！求你了！”

卢用一只胳膊抱住她的肩膀。“它老了，”她柔声说，“心碎了，我们只能让它走。”

就在这时，有脚步声向马厩走来。艾米回头一看，是斯科特，看他的脸色就知道结果了。

“我们无能为力了，是不是？”艾米啜泣道。

斯科特看着这匹马，悲伤地摇了摇头。“艾米，你给了它一个美好的家，一个理想的生活，但生命不是无止境的。”

“但是妈妈——妈妈想让我们尝试。”艾米痛苦不堪地喊道。

“你的妈妈会理解的，艾米。”斯科特一边蹲在她身旁，一边抚摸着珀加索斯的肩膀和胸膛说，“我不想让你担心，但你看到这些肿起来的地方了吗？”他说着，指出了珀加索斯胸部许多个充满液体的肿块。艾米点了点头，她之前注意到了，但只以为是苍蝇叮咬造成的过敏反应。“这些表明它的身体内部患有某种肿瘤，我猜是淋巴肉瘤。”斯科特告诉她。

“肿瘤——你是说癌症？”艾米结结巴巴地说。

斯科特点了点头。“我上次见到它时就怀疑过。”他的眼睛寻找着艾米的眼睛，“昨天晚上，最后一组测试结果出来了，是阳性。艾米，无论我们怎么做，都救不活它，有些病是不治之症。”他顿了顿，“我们不能让它白白受苦，艾米。”他说，“这太残忍了。”

艾米用力咬着自己的下唇，拼命克制住抽噎。她渴望陪伴珀加索斯走到最后一刻。但斯科特说得没错——她不能再让它受折磨了。尽管很难，但她不得不克服自己的痛苦，来帮助她深爱的马儿。

“艾米？”斯科特柔声唤道。

艾米抬眼看着他，她知道斯科特是在征询她的同意，允许给她亲爱的老朋友注射安乐死。艾米泪如雨下，艰难地点了点头。

“不会花很长时间的，”斯科特说着打开了他的黑色提包，拿出一根针，“它不会遭受痛苦的，我保证。”

艾米最后一次低下头，靠近珀加索斯的脑袋，它的眼睑闪了闪。“我爱你，珀加索斯。我将永远爱你。”她小声说，热泪已经顺着她的脸庞滚落，“请理解，我这么做是为了帮你。”

她吻了吻它的鼻口，接着痛苦地抽噎起来，斯科特给它注射时，她抱着它的脑袋。

长长的几秒钟过去了，珀加索斯的呼吸停止了。

“就这样，”斯科特柔声说，“它走了。”

艾米倒抽了一口凉气，痛苦地凝视着珀加索斯。

“这是正确的选择，艾米。”卢说着用一只手臂环抱着她，“也是唯一的选择。现在它和妈妈能在天堂相会了。”

那一刻，艾米突然意识到她多么需要自己的姐姐。“噢，卢，”她靠在她的肩膀上啜泣，“我真高兴你在这里。”

“我会永远在这里，”卢认真地说，“为了你，我会永远留下来，艾米，你也会在这里陪伴我。我们需要彼此。”

艾米抽离了卢的怀抱，突然意识到和卢进行那些无意义的争吵有多愚蠢。“如果你喜欢，我们可以有开放日，卢。”她说，“无论付出什么代价我都愿意做。赫特兰德马场必须生存下去。”

“会的，艾米，”她们的眼神交汇的那一刻，卢说，“只要我们通力合作，就一定能成功！”

第十章

那天晚上，艾米打电话给外公，把珀加索斯的死讯告诉了他，最初他想立即赶回来。

“不，没关系。您在那里多住一段时间吧。”她对外公说。

“但我感觉很糟糕，”他反对道，“发生这种事我应该在家的。”

“就算您在家也做不了什么，”艾米回答道，“谁都救不了它。”涩意在她的喉咙里聚集，但她的内心很平静。她知道自己做了正确的事情。珀加索斯终于不用再受煎熬了。

“它的尸体呢？”

“斯科特和泰在它放牧的那块原野挖了个大坟墓，”艾米静静地说，“我们在它的身旁种了一棵小橡树。”她从厨房窗户往外看。天色已晚，但她还能看清原野和夜空下那颗瘦弱的小树苗。“您不必提前回家，外公，我们能应付得来。”

“好吧，那我按照先前的计划继续待到下周日，”外公说，“但如果你们需要我，一定要给我打电话。”

“我保证。”

就在这时，卢走进了厨房。“你在和外公打电话吗？”她问。

艾米点了点头。“卢要跟您说话，外公。”她说着把话筒递了过去。

当卢跟外公通话，跟他讲她们计划的开放日时，艾米靠在水槽上，怔怔地望着珀加索斯坟旁的那棵树。她简直不敢相信，它已经不在自己的马厩里，她明天早上去给马喂食时再也看不到它了。但当她抬头凝望灰色的天空时，她知道不得不接受现实，珀加索斯已经死了，而生活还得继续。

“全安排好了，”卢说着放下话筒，“我们下周日举办开放日——那将是玛尔尼在这里的最后一天。外公觉得这个主意好极了。”她看着艾米，“你知道的，我想这周我们该忙了。”

卢说得没错。有许多事情要做，要设计海报、张贴广告、准备餐饮服务、张贴路标，还要最后修缮下马厩。玛尔尼、苏拉娅和马特全都尽力帮忙，艾米发现这一周在眼花缭乱的活动中飞快度过——上学、帮助筹办开放日、做平常的杂活儿、早晚训练诺言。她累得根本没法思考，一到夜里就倒在床上，甚至连梦都没空做。

第二周的周四，斯科特来了。艾米正在和泰打扫院子，玛尔尼正在摘吊篮里枯萎的花，卢正在往马厩门上贴名片。

“嗨！”斯科特喊道，慢慢从车里出来，“我顺道过来看看情况进展如何。”

“我们做得很好，”卢手里拿着螺丝刀从院子走过来迎接他，“差不多为开放日做好了准备。”

“我一直在帮你宣传，”斯科特说，“所以到时候肯定有一大群人来。”

“这正是我的计划。”卢说。

他们距离彼此几步站住了。“那么，你好吗？”卢问，双颊微微泛红。

艾米和玛尔尼交换着会意的眼神。

“还好，”斯科特回答说，“听我说，你们周日需要帮忙吗？我很乐意过来帮忙。”

“谢谢，”卢说，“这太好了。”她抬起头笑吟吟地望着他。

他们彼此凝视了一会儿，似乎突然意识到还有人在旁边看着，斯科特干咳了一声，转向艾米。“那么……诺言的情况怎么样了？”他问，“你取得什么进展了吗？”

“当然了！”泰说着倚靠在扫帚上，“这个小姑娘厉害着呢！”

“它允许你拿着马具靠近它了？”斯科特问艾米。

艾米咧嘴笑着凝视他，“你为什么不来亲眼看看。”

艾米拿来诺言的马笼头，用一根长绳把那匹帕洛米诺马牵到训练场，手臂里拿着马鞍和缰绳。

“那么你能对它做什么？”斯科特问，并为她打开了大门，“往前冲？用长绳控制它？”

“骑它。”艾米回答道，把诺言牵到训练场。她望着他吃惊的神情开心地笑了，“瞧吧。”

她拍了拍诺言，然后身子轻轻一跃，跳上了它的后背，骑着这匹母马绕着训练场跑了几圈才停住了。

“这太棒了。”斯科特被深深地打动了，他望向马具，“那马鞍和缰绳呢？”

“噢，我也能给它套上马具骑它。”艾米的声音很随意，但内心却高兴得直冒泡，迫不及待地想要看到斯科特的神情！

她摆腿飞旋，下了诺言的后背，去拿马鞍。她把马鞍递给诺言嗅了嗅，当诺言转开头后，她小心翼翼地将它拿到这匹母马金黄色的后背上。当艾米给它扣紧腹带，戴上马鞍时，这匹马站着一动不动，她将一只脚踏进马镫里，跳上马，兜了一圈。

“好吧。”她说，成功的甜蜜在她的体内荡漾，她在大门边停下来，“你认为怎么样？”

“它完全变了个样儿！”斯科特惊喜地喊道。他用一只手耙梳着头发，“你是怎么做到的？”

“聆听它的心声，”艾米简单解释道，“尊重它。”

“其他人骑它也能这么乖吗？”斯科特问道。

“快差不多了。”艾米说。就在昨天，诺言已经让泰帮它套马具和骑它了。马鞍拿到它身边时，它还是有点儿敏感，但只要通过精心训练，艾米确信它一定能克服这个心理障碍。

“谁都不会相信的，”斯科特边摇头边说，“你告诉丽莎了吗？”

“我打算今晚给她打电话。”艾米说。

“她一定会喜出望外。”斯科特说，蓝色的眼眸突然变得若有所思，“你知道的，你应该请求她让你在开放日训练诺言。这里的人都听说过它的大名，如果他们看到你连这样一匹人们认为无可救药的马都能治好，那么他们一定会印象深刻。”

艾米思考了一会儿。为什么不呢？她知道卢想让她和一匹马表演一套联合给观众看。那如果丽莎·斯蒂尔曼同意，她为什么不用诺言呢？毕竟，这会给那些听说过和没有听说过这匹帕洛米诺马的人带来震撼——好吧，它是匹非常漂亮和健康的马，拿来表演会很抢眼。问题是，丽莎·斯蒂尔曼会同意吗？

斯科特走后，艾米给菲尔德打了电话。丽莎·斯蒂尔曼听到诺言已经让人骑了后，声音听起来十分诧异。“但我才把它送去一个多星期！”她说，“而你现在告诉我它已经治好了？”

“嗯，还没有痊愈，”艾米回答道，“但有明显进步，我给它套上马鞍、骑它显然没问题。我只想让它和其他人在一起时，也能更自信些。”

“但其他养马场治了好几个月都没有取得丝毫进展，”丽莎·斯蒂尔曼说，“你究竟是怎么做到的？”

艾米把经历的一切统统讲给她听，包括给伊莉莎·齐提克夫人打电话。当她开始信任它，把它当个聪明的人来对待，随之诺言的行为就改变了等等。

“这太神奇了！”丽莎·斯蒂尔曼一边听艾米的故事，一边赞叹道，“我得去看看它！”

“嗯，我打电话是想问您能不能让我们在下周日的表演示范中用诺言，我们要在赫特兰德马场开办一天开放日。”艾米解释了开放日背后的想法，以及她多么需要一匹马来示范联合技巧。“诺言很理想——当然是要在您同意的情况下。”她礼貌地补充道。

“你们当然可以用它，”丽莎·斯蒂尔曼说，“我也打算亲自去看看你们是怎么做的，什么时候开始？”

“十一点，”艾米说，“示范是在十二点。”

“那到时候见。”丽莎·斯蒂尔曼说。

放下电话，艾米感到既兴奋又紧张。她知道泰正在精心准备他们在赫特兰德马场使用的天然疗法的演讲稿。他那部分演示会进行得很顺利。但联合呢？这通常是一项非常私密、专注的体验。在一大群陌生人面前表演她会有什么样的感受？要是失败了该怎么办？

她打消这样的念头，这次她只许成功。毕竟，赫特兰德马场的未来在此一举，一切都要看这次示范表演能否成功了。她要不顾一切地把赫特兰德马场经营下去。她向妈妈承诺过。

开放日前的最后几天过得飞快，周日上午十点四十五分，赫特兰德马场最终做好了准备，等待观众到来。艾米、卢、玛尔尼、泰和苏拉娅站在院子中央。

“一切就绪！”卢说着环顾四周，松了口气。

“看起来很不错！”玛尔尼说着环视着前排马厩和一

尘不染的院子。

“的确。”艾米深表赞同。她打量着那些在马厩门上方探头探脑的马儿，它们的皮毛闪闪发光，眼睛亮闪闪的，透着健康。吊篮里装满了颜色鲜艳的花儿，和乌木马厩交相辉映。院子里，泰已经贴好了路标。“一切看起来都那么干净整洁！”她喊道。

“不像你！”泰咧嘴笑道。

艾米低头看着自己脏兮兮的牛仔服。她那天早上五点半就开始工作，连梳头的工夫都没有。“我想我最好去换身衣服了。”她坦白说。

“我也是。”苏拉娅说。

她们匆匆上楼去了艾米的卧室，换上了马裤和干净的T恤。“但愿一切顺利。”艾米说，开始感到紧张。

“会的，”苏拉娅说，并把乌黑的头发向后梳成了一个整齐的马尾。她朝窗外望去。“我们得抓紧了！第一拨人已经到了！”

她们飞快地跑下楼，发现泰正在带一车观众去他们用作临时停车场的原野。就在这时，斯科特的车开上了车道。他把车停在了房子外面，和马特一起跳了下来。

“嗨！”卢打了声招呼，搬着一箱可乐从房子里走出来，可乐是要拿到饮料和餐点小摊上去的，玛尔尼正在照看那里。

“对不起，我们来晚了，”斯科特说，“我被人叫出去了。”他看到她有点儿吃力，赶紧大步流星走了过去。“嘿，让我来吧！”

“谢谢，”卢感激地说，把箱子递给他，“里面还有几箱。”

“没问题，”斯科特低头笑望着她，“就当我是你的奴隶好了。”

卢扬起眉头，“这听起来很滑稽。”

他们俩都哈哈大笑，朝饮料桌走去。

“嘿，同学，”马特说着朝艾米和苏拉娅走去，“你们想让我做什么？”

“你能从泰手上把停车的事接管过来吗？”艾米建议

道，“苏拉娅和我要去带大家四处参观，泰要给大家发宣传手册，跟大家解说我们这里是怎么做的。”

“当然，没问题。”马特说着大步走开了。

第一批来访者朝院子走来，苏拉娅朝艾米望去。“好吧，我们走了，”当来访者走近时，她小声说，“准备微笑。”

艾米点了点头，深吸了一口气，朝前走。“嗨！”她热情地招呼道，“我是艾米·弗莱明。欢迎来到赫特兰德马场！”

很快，这里就已经聚集了很多人。尽管大部分来访者都很友好，对赫特兰德马场的工作充满兴趣，但他们中有一些人显然怀疑他们使用的方法。艾米竭力控制自己的脾气。

“如果再有一个人跟我说芳香疗法或草药对治疗马匹没有用处，别怪我尖叫。”她歇口气去帮泰拿宣传手册的时候，对泰嘟囔道。

她看到苏拉娅在院子远处跟一群人讲每一匹马的历史。

“放松。”泰对她说着，耸了耸肩，“不是每个到这里的人都准备改变想法的，我们只能接受，哪一天，如果我们能让他们中的少数人对我们的方法产生浓厚兴趣，考虑把他们的问题马送到这里来，就算是胜利了。”

但艾米没法那么想，她知道他们在赫特兰德马场使用的方法有效，她迫切地想让所有的来访者都意识到这点——他们会知道这个地方是独一无二的。

“但如果他们不准备听我们讲解，他们来干什么？”她质问道，她想起最后一个和她交谈的男人，他根本不相信自然疗法的疗效，“他们来是为了挑刺的？”

“是的。”泰好脾气地说，双眼突然锁定在艾米的肩膀后面。

艾米猛转身，看到艾什莉·格兰特正悠然自得地朝院子走来。走在她身边的是她的妈妈——一个身板结实，留着金色短发的女人。

“她们到这里来干什么？”艾米轻声问。

瓦尔·格兰特看到了她，走了过来。“你好，艾米。”她说，这一笑露出了满嘴洁白无瑕的牙齿，“我们想过来给你们呐喊助威。”

说得像真的似的，艾米心想。但她还是挤出一丝微笑，“很高兴见到你们。”

瓦尔·格兰特环视四方，“你们倒的确把这个地方整了整。”

“嗨，泰，”艾什莉根本无视艾米，和泰打了声招呼，她把头发往后拂了拂，“你好吗？”

“好。”泰轻轻咳了咳，开始整理宣传手册。

“看起来不错。”艾什莉说着把身子探向前，翻看其中一本，肩膀紧挨着他的肩膀。艾米看到她斜睨地冲他微笑。

艾米顿时感到不舒服，转身抱歉要走。“我得走了，”她对瓦尔·格兰特说，“我还要去招呼其他客人。”

“当然没关系，”瓦尔·格兰特说，“我们去四处转转。很期待稍后的演示。”她大笑道，但只是嘴在笑，眼里没有一丝笑意，“谁也说不准，说不定我们能学到一些东西。”

艾米略微一笑，匆匆走开了。她此刻比任何时候的决心都更坚定，联合一定要成功！

到了十二点，斯科特、卢和玛尔尼开始邀请人们去训练场。艾米将诺言的马鞍和缰绳放在栅栏上，然后去牵那匹帕洛米诺马。

“关键时刻到了，小姑娘，”她边说边揉着诺言金黄色的脖子，“你一定要好好表现啊。”她突然意识到没有看到丽莎·斯蒂尔曼，感到一阵失望，但很快压下去了，外面有太多人等着她去征服。

她牵着诺言往训练场走去。看到包围着栅栏里外满满的两层人，她的胃禁不住恐惧得打结。

泰已经开始演讲了。

为了演示香精的用法，苏拉娅把萨加富牵到了训练场，泰给人群演示这匹设得兰群岛马如何不肯吃某些香精油，却在两个瓶子上长时间用力猛嗅，“马天性知道什么对自己有好处。”他对人群说。

“萨加富在它的主人死后，刚来赫特兰德马场时，对橙花精油表现出偏爱——这种香精油是用来对抗伤痛和帮助恢复意志力的。然而，现在它正在康复，开始偏爱香柠檬油和蓍草油。萨加富在这个阶段是在本能地选择最有益于自己有效恢复的香精油。”

泰接着开始给这匹设得兰群岛马做T字形抚摸，一边向观众指出这匹设得兰群岛马是如何将自己脑袋和身体的特定部分挪到他的手指下。

艾米注意到人们的兴趣渐浓，他们开始交头接耳。

“它是在引导我如何帮助它。”泰告诉人们。他离开萨加富，绕着训练场走。“马会尝试和我们交流，但它们一次又一次地发现人根本不听，”他说着环顾四周，乌黑的双眸充满激情，“嗯，在赫特兰德马场，我们聆听马的心声，让它们告诉我们要怎么做，而不是向马发号施令。”

他说完后，人群中爆发出一阵掌声。

突然听到噪音，诺言吓了一跳。“没关系。”艾米赶紧安抚它。

苏拉娅把萨加富牵出了训练场，泰举起手让大家安静。“我们将向各位演示另一种倾听马的心声的方法。这种方法称之为联合。”他带头让大家再次鼓掌，然后朝大门走去，艾米正在那里等候。他打开大门。“看你的了，”他对艾米说，“祝你好运！”

他们的眼神交汇了，泰拍了拍她的肩膀。“去吧，”他说，“我知道你行的！”

艾米深吸了一口气，暗暗鼓劲自己，牵着诺言走进了训练场。

掌声慢慢平息，接踵而来的是期待的嘘嘘声。

艾米恐惧地意识到许多双眼睛正注视着自己，她松开缰绳，让诺言向前走。当这匹帕洛米诺马绕着训练场小跑时，艾米听到人群中有人认出它是丽莎·斯蒂尔曼那匹残暴的马，他们发出几声窃窃耳语和惊叹声。艾米知道她必须说明下，解释她正在做什么，但当时她根本提不起勇气。

她突然看到人群中的卢正在冲她微笑，给她鼓劲，艾米感到信心又回来了。

“诺言是匹有行为问题的马，所以才会送到我们这里来，”她对人群说，“有好几个月，它不让人骑它，然后被送到了赫特兰德马场。它来这里才两周，问题差不多治愈了，在最后的示范中，我会演示给你们看，”她说着指了指栅栏上的马鞍和缰绳，“但首先我要向各位演示，我们和马建立感情的一项技巧。这种关系不是建立在恐惧基础上的，而是建立在信任和理解的基础上。”

走到训练场中央，她开始了。

这次联合过程像一场梦。艾米把诺言发出的每一个信号都讲给观众听。当她垂下双目，背对这匹母马时，她感受到观众都凝神屏息。当诺言自信地朝她走去，将它的鼻口放在艾米肩上时，艾米听到大家都齐声吸了一口气。当这匹帕洛米诺马跟在她的身后在训练场转圈时，她能感受到人们的惊讶。

演示就要结束了，艾米拿起马鞍，递给诺言。“我在问它能不能给它套上马鞍。”她对人群说，“通过征求它的意见，我是在向它表示我尊重它。诺言是一匹智商很高，很骄傲的马——它太骄傲了，不肯在暴力面前低头屈服。”

诺言嗅了嗅马鞍后，艾米给它套上了马具，跨了上去，开始绕着跑场骑。她骑着这匹帕洛米诺马弯弯曲曲地小跑了两圈，然后以完美的八字形开始慢跑。

最终，艾米让诺言在训练场中央停下来，翻身下马。“在两周时间内，这匹马从一匹无可救药的猛兽变成了一匹完美的愿意让人乘骑的马。”她冲人群微笑道，“这一切全都因为，在赫特兰德马场，我们会倾听马的心声。”

掌声响起，经久不息。艾米拍着诺言，开心地笑了。她们成功了！她和诺言征服了全场观众！

泰回到训练场，“那，大家有没有什么问题？”

人群中传来窃窃耳语声，接着一个男人举起了手，是早先和艾米交谈过的那个男人，他似乎下定决心，坚决不相信赫特兰德马场的方法会起作用。

“我们怎么知道这匹马真的不让人骑？”他质问道，“我们只听你这么说。”

“这是真的，”泰回答道，“在场就有许多人听说过这件事，可以为我们作证。”

艾米听到人群中发出一致的赞同声，大门边出现了异动。

“我确信他们给这匹马下了药！”这声音高昂刺耳，艾米猛转身，看到瓦尔·格兰特从人群中往栅栏前面挤。“这是书本中讲过的最古老的伎俩，”这位金发女人宣布道，“给一匹凶残的马打镇静剂，然后给人以创造了奇迹的假象。听我的话准没错，不信大家明天来，看到的绝对是一匹不同的马。”

令艾米感到恐惧的是，人们开始纷纷点头。“这不是真的！”她喊道，“我绝不会麻醉马。”

“好吧，你当然会这么说了，”那个男人再次开口了，“你只是为了招徕顾客。”

“但这并不意味着我们要给马打麻醉药！”艾米说。

瓦尔·格兰特再次开口道，“对不起，亲爱的，这些人似乎不相信你。

“我相信你。”闻声后，人群集体转身看，一个女人推开了大门，走进了训练场。她一头长长的金发，穿着优雅的骑马裤，那些喜欢表演比赛的人立即认出了丽莎·斯蒂尔曼。

“丽莎！”艾米惊呼道。

丽莎·斯蒂尔曼走进训练场中央。“你们当中的一些人也许还没有意识到，”她拖长声音说，“这匹马是我的。我可以担保，它的确像艾米·弗莱明说的那样不让人骑。”她目光犀利地扫了刚才说话的男人和瓦尔·格兰特一眼，“当然了，你们也可以选择不相信我的话。”她环视着其他观众，“事实是，这是真的，把它送到赫特兰德马场是这匹马最后的机会，就我来说，赫特兰德马场不亚于创造了奇迹。它没有被麻醉——你只要看一眼它的眼睛就能看得出来。”她拍了拍诺言。

“当我最初同意让诺言到这里来时，我也像你们许多人一样持怀疑态度，”她大声说，“但我再也不会怀疑了，看了刚才的演示后，我保证将来我都不会再怀疑。从现在起，”丽莎·斯蒂尔曼转身冲艾米微笑，“只要我的马有行为问题，我都会送到赫特兰德马场来。”

“谢谢你！”艾米惊呼道。

“现在，”丽莎·斯蒂尔曼说，“我想我们应该给我们的主人再来一次热烈的掌声。”

这次的掌声震耳欲聋。人们拍手、吹口哨、跺脚。看到诺言受惊的神情，艾米迅速将它牵出了训练场，回到了它宁静的马厩里。

“谢谢你。”她小声对这匹母马说。

诺言喷了喷鼻息，蹭着她的肩膀。

马厩门突然开了，是马特和苏拉娅。“这难道不神奇吗？”苏拉娅惊呼道。

“丽莎·斯蒂尔曼大步流星走进训练场的样子简直酷毙了！”马特哈哈大笑。

“瓦尔·格兰特的眼睛都不知道往哪儿放！”苏拉娅咧嘴笑道。“我们看到她和艾什莉气冲冲地回到车上，看起来气得不行。”她抱紧了艾米，“你太了不起了！你看起来实在是太酷、太自信了。”

艾米咧嘴笑了，“我吓坏了！”

“你应该去看看训练场那边闹哄哄的情形，”马特说，“大家都争着跟卢和泰说把他们的马登记到这里来。你会有长长的一张报名单。”

艾米不敢相信，但当她和苏拉娅、马特返回训练场时，她不得不承认他们说的是真的。人群将卢和泰团团围住，艾米的眼睛睁得大大的。这太棒了，这正是她们期望的结果，但她们将怎么做才能完成额外的工作?

她的姐姐突然看到了她。“艾米！”她喊道，并朝她挥手。

艾米从人群中挤过去时，人们不停地拍打她的后背，祝贺她。“嗨！”她喊道，走到卢身边，“很神奇吗？”

“是啊，”卢说，“瞧这个！”她挥舞着一张登满了姓名和地址的纸。“泰那张更多。过了今天，要送到这里来的马将是我们马厩容纳量的三倍多。”

“我们怎么应付得了？”艾米喊道，一半开心，一半绝望。

“我还有个最好的消息没告诉你呢，”卢说，“丽莎·斯蒂尔曼刚才问我能不能雇佣她的侄子本当马厩伙计。她想让他把我们的方法都学到手，到时候回到她的种马场，应用我们的方法。还有更好的——她还会付我们学费！”

“我简直不敢相信，卢！”艾米惊叹道，张开双臂抱住了姐姐的脖子，“这下，所有问题都解决了！”

卢高兴地抱住了她。

“你们说我走后，要举行狂欢派对，”一个熟悉的声音在她们的背后响起，“但这是不是有点儿过了？”

艾米和卢齐转身。“外公！”她们俩异口同声开心地喊道。

杰克·巴特利特冲她们微笑。“是的，”他说，“我回来了！”

晚上，喂完马，打扫完院子后，艾米沿着车道走到珀加索斯安睡的原野。空气宁和静谧。她靠在大木门上往外望着草地上长长的暗影。

泰、苏拉娅、马特和斯科特已经回家了，玛尔尼在卧室里，正在打包行李，准备明天回城。艾米知道自己会想念她的，毕竟，是玛尔尼让她意识到要用自己的方式和理由来经营赫特兰德马场，但她也要和卢像一个团队一样合作。

一股凉风轻柔地拂过艾米的肌肤。在经历了开放日的喧嚣之后，一切都变得无比宁静，她们获得了巨大的成功，至少暂时，赫特兰德马场的经济困难解决了，有本·斯蒂尔曼做额外的马厩伙计，她将会有更多时间和马待在一起。说不定我还能去参加一些跳马比赛，艾米心想。

她注视着那棵纤细幼小的橡树，心扭作一团。她的生活中只失去了一样东西——那就是珀加索斯。

“你为什么要离开？”她痛苦地喃喃道。

但她问这个问题时，其实早已知道答案。人生要向前看，没有什么是永恒的。

天色渐淡，那棵树被暮色笼罩着，最后一只孤独的鸟儿唱起了夜曲。

“艾米？”

她扭头一看。外公和卢正踏着十月的黄昏朝她走来。

“我们从厨房窗户看到你了。”卢说。

“你不介意我们加入你吧？”外公静声问。

艾米摇了摇头。

有一会儿，他们三个人都站在大门边，沉默不语。“今天是个好日子。”卢最终说。

艾米微笑道。“谢谢你，卢。这是你的主意。”

外公将两只手搭在姐妹二人的肩上。“我为你们俩感

到骄傲，”他的声音饱含深情，“你们的妈妈也会为你们感到自豪的。你们让赫特兰德马场变成了你们自己的。”他拍了拍她们的肩膀，“你们找到了一种立足过去、走向未来的方式。”

“是作为一个团队。”艾米说着朝卢望去。

卢冲她回笑，“是的，是一个团队。”

艾米朝那棵橡树望去。外公说得对。人生要向前看，而不是抱着过去不放。她凝视着那棵树，嘴唇轻轻蠕动，“再见了，珀加索斯。”

尽管夜色深浓，那只鸟儿仍在兀自歌唱。

精彩抢先读

《马背上的女孩》之四

《意外来客》

训练场里，本正骑着瑞得向一个障碍慢跑过去。那个障碍很高——至少有四英尺。

“本！停下来！”艾米喊道，往前跑到了大门边。

但本充耳不闻。他一鞭子抽到瑞得的脖子上，那匹栗色马轻松地跳过了障碍。本拉着瑞得停了下来，把柱子升高了一英尺。

“你这是在干什么？本？”泰问道，大步走进了训练场。

“训练我的马跨越障碍！”本几乎是咬着牙说的。

他跳上瑞得的背，“别挡着我！”

泰一动不动。本拉紧瑞得的缰绳，骑马慢跑着从他身边经过。

“本！不要！”艾米说，当她看到本让瑞得转向障碍时她的心跳到了嗓子眼里。有那么可怕的一刻，她仿佛看到自己的父亲骑着珀加索斯跳过障碍，柱子卡在了珀加索斯腿间，马和骑手都跌倒在地上。本已经闹够了！她飞跑过沙地，朝障碍跑去。“停下来！瑞得累了！这对它来说太高了！”

本又在这匹栗色马的脖子上抽了两下。有那么一会儿，瑞得看上去像是要起跳，但接着它失去了勇气，停了下来。

“来吧！”本喊道，抽打瑞得的臀部。

瑞得惊慌起来，避开障碍，径直朝艾米的方向跑来。那一刻，艾米眼中只有瑞得惊恐的眼睛和吐着白沫的嘴，接着她感到泰抓住了她的肩膀，把她拉开了。

“你这个白痴！”泰冲本咆哮。

艾米感到自己的心如鼓擂，都要从胸腔里蹦出来了。她看到本的脸上露出震惊的神情，他的双眼再次暗了下去。他拉着瑞得转向障碍，鞭子一挥，落到瑞得的屁股上。

“快停下，本！”艾米尖叫道。

看到障碍，瑞得惊慌失措，跃入空中。本吃了一惊，把身子往瑞得的脖颈挪去。这给了泰需要的机会。他穿过沙地，当这匹栗色马着陆时，他抓住了瑞得的缰绳。

瑞得吃惊地往后闪，但泰紧紧抓住绳子不放。“停下，小伙子，放松！”

“你这是在干什么？”本喊道，调整好了坐姿，试图夺过泰手中的绳子。

泰放掉缰绳，抓住了本的腿和手臂，把他从马鞍上拉了下来。

瑞得吃惊地闷哼一声，躲开了。本的手松开了，人落到了地上。有片刻，艾米觉得泰要揍他。

“泰，停下！”她喊着跑了过来。

泰放开手。他怒视着本，呼吸粗重。“滚出这个马场。”他说，他克制不了愤怒，声音气得发抖。“滚出这个马场，马上，再也别回来！”

本站起身，他的衣服上沾满了沙子。他瞪着泰看了一会儿，迅速转身，快步穿过院子，拿起瑞得的缰绳，牵着它走出了训练场。

艾米惊呆了。她看了看泰愤怒的脸，接着看到本走出了院子。她走上前去。

“别去追他，艾米。”泰激地动说。

艾米停下脚步望着他。“我必须去，我不得不去。”

泰紧盯着她。“如果你去了，我就走，”他说，“我受够了，艾米，我已经做了足够多的妥协。看到这样残忍的行为，我不打算再袖手旁观下去，就算是为了你也不行。”

“你这话什么意思？”艾米小声说。

就在这时突然传来一声惊叫。本朝大门跑来。“艾米！”他喊道，“艾米！瑞得出事了！快来！”